Portrait de l'artiste en saltimbanque

p. 55 danses sacré et profane

65 clown as dandy manqué

Sur la couverture:
Pablo Picasso: Au Lapin Agile (détail) - 1905.
New York, collection particulière.

*

ISBN 2-605-00028-1

JEAN STAROBINSKI

Portrait de l'artiste en saltimbanque

LES SENTIERS DE LA CRÉATION
Editions d'Art Albert Skira S.A.
Genève

FLAMMARION
26, rue Racine, Paris (VIe)

Holbein le Jeune:
«Ein Narr, der seine Kasperlfiguren zu bewundern scheint» - 1515.

Le double grimaçant

LES études ne manquent pas sur les origines du clown, comme sur les aspects les plus anciens d'Arlequin et de ses comparses de la *commedia ;* on a relaté la grandeur et la décadence de Hanswurst ; des historiens ont tourné leur attention vers le théâtre de la foire, le cirque, le music-hall ; d'autres recherches ont été conduites, quoique en moins grand nombre, sur les images que les artistes ont tracées des costumes, des grimaces, des cabrioles qu'ils avaient rencontrés dans le monde du spectacle. Mais quelle est la nature de l'attrait exercé sur les artistes, depuis près d'un siècle, par l'imagerie des tréteaux ? Nous voudrions tenter de définir, un peu plus clairement qu'on ne l'a fait jusqu'à présent, la qualité particulière de l'intérêt qui a incité les écrivains et les peintres du XIXe siècle à multiplier — jusqu'à en faire un lieu commun — les images du clown, du saltimbanque et de la vie foraine.

Cet intérêt, à n'en pas douter, admet d'abord une explication d'ordre extérieur : le monde du cirque et de la fête foraine représentait, dans l'atmosphère charbonneuse d'une société en voie d'industrialisation, un îlot chatoyant de merveilleux, un morceau demeuré intact du pays d'enfance, un domaine où la spontanéité vitale, l'illusion, les prodiges simples de l'adresse ou de la maladresse mêlaient leurs séductions pour le spectateur lassé de la monotonie des tâches de la vie sérieuse. De préférence à bien d'autres aspects de la réalité, ceux-là semblaient attendre d'être fixés dans une transcription picturale ou poétique. Mais ces raisons — dont l'implication socio-historique est évidente — ne sont pas les seules. L'élection d'un pareil thème s'explique imparfaitement par le seul attrait visuel que pouvait exercer le bariolage des tréteaux, comme une tache claire dans la grisaille d'une époque cendreuse. A ce plaisir de l'œil se joint un penchant d'un autre ordre, un lien psychologique qui fait éprouver à l'artiste moderne je ne sais quel sentiment de connivence nostalgique avec le microcosme de la parade et de la féerie élémentaire. Il faut aller, dans la plupart des cas, jusqu'à parler d'une forme singulière d'*identification*. L'on s'aperçoit en effet que le choix de l'image du clown n'est pas seulement l'élection d'un *motif* pictural ou poétique, mais une façon détournée et parodique de poser la question de l'art. Depuis le romantisme (mais non certes sans quelque prodrome), le bouffon, le saltimbanque et le clown ont été les images hyperboliques et volontairement *déformantes* que les artistes se sont plu à donner d'eux-mêmes et de la condition de l'art. Il s'agit là d'un autoportrait travesti, dont la portée ne se limite pas à la caricature sarcastique ou douloureuse. Musset se dessinant sous les traits de Fantasio; Flaubert déclarant: *Le fond de ma nature est, quoi qu'on dise, le saltimbanque* (lettre du 8 août 1846); Jarry, au moment de mourir, s'identifiant à sa créature parodique: *Le père Ubu va essayer de dormir;* Joyce déclarant: *Je ne suis qu'un clown irlandais, a great joker at the universe;* Rouault multipliant son autoportrait sous les fards de Pierrot ou des clowns tragiques ; Picasso au milieu de son inépuisable réserve de costumes et de masques ; Henry Miller méditant *sur le clown qu'il est, qu'il a toujours été* : une attitude si constamment répétée, si obstinément réinventée à travers trois ou quatre générations requiert notre attention. Le jeu ironique a la valeur d'une interprétation de soi par soi : c'est une épiphanie dérisoire de l'art et de l'artiste. La critique de l'honorabilité bourgeoise s'y double d'une autocritique dirigée contre la vocation esthétique elle-même. Nous devons y reconnaître l'une des composantes caractéristiques de la « modernité », depuis un peu plus d'une centaine d'années.

C'est dans la littérature, entre 1830 et 1870, que se développe d'abord, pour l'essentiel, le mythe du clown que les peintres célébreront plus tard. La littérature exerce ici une fonction d'éveil, elle crée un climat de sensibilité, elle apprend à regarder d'un œil nouveau certains spectacles auxquels auparavant nul n'avait prêté une suffisante attention. On ne diminue en rien le mérite des peintres du cirque, si l'on reconnaît ce qu'ils doivent aux poètes qui les ont préparés à être émus par les écuyères et par les clowns. La littérature, depuis toujours, «donne à voir» (à charge de demander en retour le même service aux peintres).

Ainsi l'influence de la littérature se double-t-elle ici d'une conversion au réel. Si la «peinture d'histoire», qui règne incontestablement jusqu'au milieu du XIXe siècle, apporte une illustration imaginaire à des textes glorieux (épopée, tragédie, chroniques nationales, etc.), la peinture des fastes du cirque et de la foire, en revanche, ira se pourvoir d'images prises sur le vif: le rôle de la nouvelle littérature aura été surtout de poétiser ces images, de les douer d'une valeur affective, d'une signification quasi allégorique. Ce sera certes encore trop de littérature pour ceux qui plus tard souhaiteront que la peinture s'établisse dans le royaume autonome des qualités plastiques. Du moins le cirque peut-il se prévaloir d'une justification qui est précisément d'ordre plastique: il est le lieu prédestiné où les formes et les couleurs se donnent la plus libre carrière, où les postures, les draperies, les mouvements peuvent varier à l'infini. Jusqu'au XIXe siècle, ces variations, ces jeux du corps, ces

Une parade foraine à Londres - 1804.

libres cavalcades avaient eu pour prétexte les aventures des dieux et des héros païens, les scènes de la Bible, à moins que ce ne fussent les épisodes des grands «caprices» épiques de l'Arioste et de ses émules, où l'ironie s'était déjà insinuée. Le choix du cirque, chez tant de peintres de la fin du XIXe et du début du XXe siècle, correspond au déclin des sources traditionnelles d'inspiration, et leur oppose une mythologie substitutive: il faut y voir la critique implicite des grands thèmes autour desquels la culture occidentale avait développé son cortège d'images. Cette assomption inattendue d'un sujet de la peinture de genre est un changement de héros, et comme un allègre défi jeté à la notion même de héros. Les déesses imaginaires deviennent de réelles ballerines et les nobles coursiers se retrouvent chevaux de manège. Quand on présente le cirque et ses illusions comme le lieu de vérité, que reste-t-il de la tradition académique du Grand et du Beau? On la rejette comme une hypocrisie superlative. La geste de *Pulcinella* de Giandomenico Tiepolo, dans la Venise déclinante, donne le premier signal de cette relève des dieux par les pitres.

Mais n'allons pas croire que cette mutation ait été parfaitement subite, ni qu'elle ait repré-

Tiepolo: Pulcinella au cirque, se balançant sur une corde - vers 1800.

senté une rupture totale avec les traditions de la culture occidentale. Le mythe du clown se constitue au cours de l'âge romantique, et l'on sait que le romantisme s'est plu à rassembler les images du passé, jusqu'à faire de la «réminiscence» esthétique un élément de son décor propre. La chance du pitre et du clown, tels qu'ils évoluaient sur les théâtres de Variétés, au «Cirque

Olympique», ou sur les tréteaux forains, ç'a été d'attirer sur eux un intérêt, une sensibilité qu'avait conditionnés une série assez disparate d'exemples offerts par l'art et la littérature du passé: le syncrétisme romantique n'a pas négligé les figures les plus anciennes. Dans cette mémoire accueillante, il y a place pour les visiteurs les plus hétéroclites: une certaine image du Socrate ironisant qui «sous une enveloppe de Silène cache un dieu»; les acteurs des farces satyriques et des attellanes; les jongleurs et les fous de cour du moyen âge; les bouffons de la Renaissance; la *Folie* qu'Erasme a fait monter en

Callot: Les deux Pantalons - vers 1617.

chaire; les agiles danseurs des danses macabres; les clowns de Shakespeare; les personnages grotesques des *Balli di Sfessania* de Jacques Callot, toute la troupe des personnages de la *Commedia dell'Arte*, telle qu'on la voit, poursuivant le plaisir, chez Marivaux, chez Gozzi, dans les fêtes galantes de Watteau ou parmi les figurines de porcelaine de Bustelli; l'on se souvenait du cynisme «à la Diogène» dont maints artistes du XVIIIe siècle s'étaient composé un masque; les excentricités du neveu de Rameau et son franc-parler donnaient le ton d'un «style» bouffon lié au déclassement social; la vie errante des gitans attirait par son pittoresque oriental et par le prestige qui s'attache au destin de l'*outcast*... On le voit, les ancêtres ne manquent pas dans le tableau de famille du clown: mais ce sont des ancêtres putatifs, les filiations se faisant toujours, dans cette dynastie, par la main gauche...

Adam: Ecuyer de style shakespearien - 1850.

Une génialité retrouvée?

DURANT la période romantique, les «genres distingués» (lyrisme, drame, comédie) ne connaissent le héros bouffon que sous la forme d'un être imaginaire, paré des atours de Yorick, portant la marotte, et campé dans un décor gothique; c'est un héritage littéraire; il cabriole dans un espace irréel, parmi des courtisans en justaucorps et en collerettes. Il n'a aucun répondant au sein du monde contemporain, si ce n'est l'écrivain lui-même, désireux d'en faire le porte-parole de sa propre mélancolie. Le modèle était dans le théâtre de Shakespeare, il n'y avait qu'à en exploiter les ressources : le clown, le bouffon y figurent à la fois les personnages musicaux (voyez la chanson de Feste ou celle d'Autolycus), les diseurs de vérités, les auxiliaires secrets qui font tourner la roue du destin. Le poète romantique — mécontent de la société, mais désireux de la juger et d'y intervenir en sa qualité de poète — pouvait fort bien s'identifier à ce modèle, et lui faire jouer sa partie.

Les réminiscences shakespeariennes préparaient les romantiques français à retrouver Shakespeare ailleurs que dans Shakespeare. Comme leurs contemporains allemands, ils croyaient le déceler dans le théâtre féerique de Gozzi et dans celui de Tieck. Ils ont cru l'apercevoir dans certains spectacles populaires, où le merveilleux et l'acrobatie se donnaient libre carrière, mais dont les auteurs et les acteurs étaient à cent lieues de prétendre rivaliser avec Shakespeare (si le nom même du dramaturge anglais leur était connu).

Gautier, en 1842, écrit un article sur Deburau et sur le Théâtre des Funambules ; l'article est intitulé : *Shakespeare aux Funambules.* Deburau, dans le rôle de Pierrot, devient un autre Hamlet. Ce public en haillons, pour Gautier, est le seul qui comprendrait *Le Songe d'une nuit d'été, La*

Potémont : Le Théâtre des Funambules, boulevard du Temple - 1862.

Tempête et *Le Conte d'hiver*. (Le merveilleux shakespearien, pour les écrivains français du XIXe siècle, s'allie de façon tenace aux spectacles du cirque ou des tréteaux. Edmond de Goncourt, décrivant le numéro des frères Zemganno, n'omet pas d'ajouter qu'il suscite *dans l'esprit des spectateurs, l'idée et le souvenir d'une création ironique baignant dans du clair-obscur, d'une espèce de rêve shakespearien, d'une sorte de* Nuit d'Eté *dont ils semblaient les poétiques acrobates.*) Sur les *pauvres tréteaux vermoulus du Théâtre des Funambules*, un comédien naïf fait revivre l'esprit de Shakespeare : c'est le privilège de l'instinct et d'une sorte de grâce médiumnique. La résurrection de Shakespeare, en effet, apparaît ici comme l'œuvre d'un génie collectif. Qui sont les auteurs de ces pantomimes ? *Personne ne les connaît*, assure Gautier ; *on ignore leurs noms, comme ceux des poètes du* Romancero, *comme ceux qui ont élevé les cathédrales du moyen âge. L'auteur de ces merveilleuses parades, c'est tout le monde, ce grand poète, cet être collectif qui a plus d'esprit que Voltaire, Beaumarchais ou Byron.* On reconnaît, dans cette idée, l'une des grandes nostalgies primitivistes du romantisme : les arts populaires, dans leur ingénuité anonyme, capteraient les sources vitales de l'inspiration ; ils seraient l'expression

Daumier: Crispin et Scapin - vers 1863-1865.

spontanée du génie de la communauté. Un reste de grandeur épique y subsisterait; on y rencontrerait le monde simple et fort des commencements, les grandes passions élémentaires, le rire et les pleurs à l'état naissant. Tout y a, en vertu d'une invention infaillible, sa juste couleur, l'éclat et la bizarrerie qui émerveillent. Mais c'est là aussi un monde finissant, un phénomène en voie de disparition, dont il faut se hâter d'aller goûter les derniers feux. La *Commedia dell'Arte* est morte; il n'y aura bientôt plus de

Pierrots, plus de spectateurs pour leur faire fête. Dès la Restauration, des peintres et des architectes (Redouté, Fontaine), puis des écrivains (Charles Nodier et ses amis) fréquentent le Théâtre des Funambules et rêvent de sauver cet univers moribond, menacé par le vulgaire vaudeville. L'on constate, parmi le public bourgeois, des signes de désaffection ; l'on voudrait prêter main-forte, enrichir et ennoblir le répertoire de la pantomime. Nodier compose le *Songe d'Or* en 1829 ; ce sera ensuite le tour de Gautier, puis de Champfleury : chose étrange, ces œuvres littéraires, destinées à infuser une nouvelle vie à un art populaire déclinant, sont des textes dont le caractère macabre va en s'accentuant. A la fin du siècle, le théâtre populaire sera définitivement mort, mais le personnage de Pierrot, comme celui d'Arlequin, aura passé aux mains des écrivains «cultivés» : il sera devenu un thème littéraire, souvent imprégné d'ironie funèbre, un lieu commun poétique et un rôle de bal masqué. Images résiduelles...

Une acclimatation culturelle s'est ainsi effectuée, préfigurant ce qui se passera au XXe siècle pour «l'art nègre», pour le jazz, pour le music-hall. Des artistes savants, des connaisseurs raffinés, se prennent de passion pour certaines formes restées vivantes de l'expression «naïve»; l'on s'engoue d'un monde encore primitif; on y cherche l'énergie archaïque, on y découvre des inspirations qui permettraient de rajeunir le «grand art». Mais cette rencontre ne peut conduire à la reprise pure et simple des formes de l'invention «naïve» et à leur adoption intégrale par l'art évolué. L'artiste ne peut oublier la réflexion nostalgique qui l'a invité à découvrir un art premier; il ne peut se plonger dans l'eau de Jouvence, se dépouiller de toute sa science pour vivre et créer dans l'élan d'une spontanéité retrouvée. Il fera, pour le cirque, pour l'art nègre, ce que Virgile a fait pour les bergers d'Arcadie, ou ce que les Romantiques ont fait pour la poésie d'Ossian: il exprimera son regret de la spontanéité originelle dans une réflexion «sentimentale» et transfigurante. Les images archaïques, introduites dans le langage de l'art moderne, apparaîtront comme les reflets d'un monde perdu; elles vivront dans un espace remémoré; elles porteront la marque de la passion du retour. Ce seront des créatures du désir régressif, ou des rôles revêtus de façon à demi parodique.

Lautrec: Au cirque Medrano, Boum-Boum - 1893.

L'éblouissement devant la légèreté, ou le triomphe du clown

POUR le cirque, pour le monde forain, l'élaboration s'est faite de façon relativement lente. La transposition esthétique a connu plusieurs stades. La parole est d'abord au chroniqueur théâtral, à celui qui, pour le public bourgeois des journaux et des revues, raconte, en soignant son style, l'émerveillement rencontré dans les établissements où ne vont pas d'habitude les «honnêtes gens». Gautier est l'un de ceux qui ont le plus contribué à donner à ces spectacles leurs lettres de noblesse esthétique. Qu'aime-t-il y rencontrer? Au cirque, aux Variétés, il goûte l'adresse, la légèreté, l'envol. Il s'enivre d'exploits miraculeux.

Qu'il décrive la danseuse de corde: *Qu'y a-t-il de plus agréable à voir qu'une jeune fille en jupe à paillettes, l'étroite semelle de son petit soulier frottée de blanc d'Espagne, essayer du pied si le câble est suffisamment tendu, puis s'élancer bravement sur l'abîme du parterre, et bondir jusqu'aux frises du théâtre comme un volant poussé par une raquette; rien n'est plus aérien, plus léger, et d'un péril plus gracieux;*

ou qu'il célèbre les exploits d'Auriol, le pitre acrobate du «Cirque Olympique»: *Les singes sont boiteux et manchots à côté d'Auriol; les lois de la pesanteur paraissent lui être complètement inconnues: il grimpe comme une mouche le long des parois vernissées d'une haute colonne; il marcherait contre un plafond, s'il le voulait. S'il ne vole pas, c'est par coquetterie. Le talent d'Auriol est d'une merveilleuse souplesse, il est encyclopédique dans son art: il est sauteur, jongleur, équilibriste, danseur de corde, écuyer, acteur grotesque, et à toutes ces qualités il joint des forces prodigieuses. C'est un Hercule mignon avec de petits pieds de femme, des mains et une voix d'enfant. Il est impossible de voir des muscles mieux attachés, un cou plus athlétique, une structure plus légère et plus forte; le tout surmonté d'une tête jovialement chinoise, dont une seule grimace suffit pour déclencher l'hilarité de toute la salle. Jamais l'effort ne se fit sentir dans les tours du merveilleux clown... On n'admire pas assez les saltimbanques; il faut à la fois de l'agilité, du courage et de la vigueur, trois qualités précieuses pour faire ce que fait Auriol;*

qu'il exprime, en 1838, sa stupeur éblouie devant Lawrence et Redisha, clowns anglais (qui sont des «disloqués» autant que des pitres): *Tout ce qu'il est possible d'obtenir des muscles et des nerfs d'un homme, ils l'ont obtenu: ils s'écartèlent, ils se tendent, ils s'aplatissent, et ils se roulent en cercle, ils sont prodigieux! Leur costume est d'un comique ébouriffant — le premier est moitié rouge, moitié noir, avec une perruque écarlate d'un côté et brune de l'autre; le second blanc, relevé et passementé de boutons gros comme des oranges; il a la figure enfarinée, pommelée de rose, accentuée de sourcils circonflexes très extravagants. Cet ajustement est d'une fantaisie qu'on n'imagine pas, et va fort bien avec la démarche discrète et silencieuse du personnage.*

Ces frères siamois de la gambade dépassent tout ce que l'on a vu jusqu'à ce jour: ils mettent leurs cuisses en bandoulière, font des risettes avec leurs jambes, comme avec un beau nœud de ruban; ils se coupent en deux, et les deux morceaux dansent; ils se font crapauds et sautent sur le ventre avec les pattes plon-

gées au rebours des articulations comme de vrais et naïfs crapauds qui sortiraient d'une mare pour aller humer le frais; ils se doublent, se dédoublent, s'augmentent, se diminuent et fourmillent à l'œil comme un nœud de serpents. La pesanteur n'existe pas pour eux. O grands baladins, sauteurs miraculeux, on est humilié, quand on vous a vus, de marcher sur les pieds et l'on a des envies de s'en retourner chez soi sur les mains en faisant la roue;

qu'il vante les talents du Pierrot français: *Deburau avait eu le bonheur de faire des études classiques sur le tapis, au milieu des places et des carrefours. Il marchait sur la tête, portait des échelles au bout du nez, se tambourinait sur la nuque avec les talons, pratiquait la danse des échasses, le grand écart, le saut périlleux, il était ce qu'on appelle en termes d'art rompu, ouvert et désossé;* — la vertu que Gautier admire entre toutes, c'est l'agilité, le défi que le corps du clown acrobate lance à la pesanteur, la métamorphose qui lui fait rejoindre *le vagabondage ailé de Puck*. Bien qu'il regrette de voir un peintre anglais, Paton, représenter Oberon dans le maillot à paillettes d'un *acropedestrian* de cirque, Gautier fait de Shakespeare, *roi des génies*, le patron tutélaire de la féerie *aérienne*, de l'envol vaporeux. Et dans l'art contemporain, c'est la danseuse, c'est le mime agile

Chagall: Acrobate - 1914-1915.

qui lui paraissent les plus qualifiés pour en réincarner l'esprit authentique. Des corps en mouvement, toujours des corps, mais dont l'élan et la légèreté sortent du commun, accomplissant, en pleine lumière, l'exploit fantastique dont l'humanité vulgaire est incapable.

Tel est l'émerveillement qu'attend Gautier. Son idéal d'artiste (qu'on a un peu trop simplement défini comme un idéal de peintre) se lie à toutes les activités où l'être corporel et l'existence charnelle se surpassent, non pour quitter la condition corporelle et charnelle, mais pour lui conférer un rayonnement glorieux. Le cirque peut donc être l'un des hauts lieux de la révélation du beau, si c'est le lieu où se déploient toutes les ressources de la virtuosité musculaire, si l'homme y devient tout ensemble plus et moins que l'homme : un génie ailé, un crapaud.

Que l'exploit du clown acrobate puisse être l'équivalent allégorique de l'acte poétique (selon une conception de la poésie qui fait de la maîtrise technique et de l'adresse une vertu essentielle), Banville l'affirmera hardiment dans le poème liminaire et le poème conclusif de son recueil parodique d'*Odes funambulesques* (1857). Pour lui, comme pour Gautier, la dimension privilégiée du clown, c'est l'altitude vertigineuse : si l'habit du clown représente un travesti dérisoire, si c'est une dégradation, pour le serviteur de la Muse, que de *jouer du violon debout sur l'échelle du saltimbanque,* du moins peut-il ainsi répondre par l'ironie à l'avilissement d'un siècle en proie aux puissances d'argent, où *l'on n'entend plus que le râteau de la roulette et de la banque.*

L'élan hyperbolique vers la hauteur donne à la révolte du poète les allures glorieuses d'une victoire :

...Mais qu'il soit
Un héros sublime ou grotesque ;
O Muse ! qu'il chasse aux vautours,
Ou qu'il daigne faire des tours
Sur la corde funambulesque,
Tribun, prophète ou baladin,
Toujours fuyant avec dédain
Les pavés que le passant foule,
Il marche sur les fiers sommets
Ou sur la corde ignoble, mais
Au-dessus des fronts de la foule.

Cette supériorité, dans le poème intitulé *Le Clown,* est exprimée par la hauteur gagnée —

dans le jaillissement vertical du bond. Banville imagine une conquête irrésistible de l'espace. Le clown a beau porter *sa plaie au flanc,* il se projette dans l'altitude stellaire :

De la pesanteur affranchi,
Sans y voir clair il eût franchi
Les escaliers de Piranèse.
La lumière qui le frappait
Faisait resplendir son toupet
Comme un brasier dans la fournaise.

Au lieu d'être imaginés comme un abîme au fond duquel disparaît l'espoir, les *escaliers de Piranèse* sont allègrement franchis par une cabriole qui projette l'acrobate de bas en haut. Dans cet envol de Ganymède (que n'entraîne aucun Jupiter), les ignobles réalités quittées comptent autant que les horizons conquis :

« Plus loin ! plus haut ! je vois encore
Des boursiers à lunettes d'or,
Des critiques, des demoiselles
Et des réalistes en feu.
Plus haut ! plus loin ! de l'air ! du bleu !
Des ailes ! des ailes ! des ailes ! »

Enfin, de son vil échafaud,
Le clown sauta si haut, si haut!
Qu'il creva le plafond de toiles
Au son du cor et du tambour,
Et, le cœur dévoré d'amour,
Alla rouler dans les étoiles.

Dans le poème de l'Arioste, Astolphe s'envolait chercher dans la lune la raison perdue de Roland. Mais Banville, plus orgueilleux qu'il ne semblerait, se glorifie de terminer les *Odes funambulesques* par le mot qui conclut la *Divine Comédie*: *Dans ce poème final, j'ai essayé d'exprimer ce que je sens le mieux: l'attrait du gouffre d'en haut. Et puis une des superstitions que je chéris le plus est celle qui me pousse à terminer un livre, quand je le puis, par le mot qui termine* La Divine Comédie *de Dante, par le divin mot, écrit ainsi au pluriel:*

Etoiles.

Il n'est pas sans intérêt de noter que l'une des premières grandes œuvres picturales inspirées par la vie du cirque — la *Miss Lala* de Degas — est une admirable expression de la verticalité et de l'ascension: la dimension que ce tableau exalte

est sans conteste la hauteur vertigineuse, et, selon l'expression banvillienne, le *gouffre d'en haut.*

La transposition poétique, telle qu'elle apparaît chez Gautier et chez Banville, atteste à l'égard du clown acrobate une sympathie dynamique et plastique. Le poète s'identifie à ce pouvoir de lévitation ; il y reconnaît l'empire qu'il entend lui-même exercer sur le corps verbal du langage. Mais la participation affective ne va guère au-delà. Pure agilité spectaculaire, exploit optimiste, le bond du clown acrobate n'entraîne pas l'imagination poétique dans une aventure compromettante. Les envols en restent le plus souvent au coup de rein initial sur le tremplin. Par sa virtuosité même, la prouesse acrobatique se sépare de la vie de ceux d'en bas : le poète, s'il en fait à lui-même l'application allégorique, se donne pour vocation d'affirmer sa liberté en un jeu supérieur et gratuit, tout en faisant la grimace aux bourgeois, aux « assis ».

Baudelaire, dans son article sur Banville, prend ses distances sous les dehors de l'admiration, et caractérise le travers de cette poésie : *Tout, hommes, paysages, palais, dans le monde lyrique, est pour ainsi dire* apothéosé. — Une lumière de gloire facile se répand partout. L'adversité, la souffrance, *l'horrible vie de contention et de lutte,*

Degas : Au cirque (Léona Daré) - vers 1879.

Funambule.

disparaissent comme par enchantement. L'espace semble ouvert et libre, offert à tous nos élans : *Tout l'être intérieur, dans ces merveilleux instants, s'élance en l'air par trop de légèreté et de dilatation, comme pour atteindre une région plus haute.* Mais cette euphorie, cet humour ne sont-ils pas inconsistants ? Ne leur manque-t-il pas le négatif, l'ombre et la matérialité, sans lesquelles la poésie n'est qu'une bulle de savon qui se perd dans l'azur ? Le bond du clown banvillien, sa fuite verticale hors du réel décevant sont l'un des meilleurs emblèmes possibles de la griserie propre à l'*ironie romantique*: ce sont les hauts faits d'un esprit qui affirme sa liberté par le refus éperdu de la contingence imparfaite. Le verdict sévère de Hegel est ici applicable: la liberté ironique se rend elle-même creuse et vaine en prétendant s'élever au-dessus du spectacle de la vanité humaine. L'envol vers les régions de la pure idéalité se perd dans une abstraction sans contenu.

Alophe: Scène de «La Péri», acte I - 1843.

Trouer dans le mur de toile une fenêtre: c'est ce qu'accomplit le pitre de Mallarmé, à l'exemple du clown de Banville. Son idéal, il le poursuit non dans l'altitude stellaire, mais dans l'eau limpide d'un regard aimé. Plus dangereusement, il meurt à soi pour tenter de renaître dans l'absolu d'un amour transfigurant. Mais contrairement au vol dans les étoiles, la nage heureuse dans le lac vivant n'est pas un triomphe de l'art. C'en est au contraire la négation coupable. Le pitre mallarméen découvre qu'il a trahi la «Muse» — la poésie — en cherchant à *vivre* une résurrection extatique; le génie est inséparable du *fard*. La conscience qu'en prend le pitre est sa punition. *Le Pitre Châtié* s'achève par ces trois vers:

Rance nuit de la peau quand sur moi vous passiez,
Ne sachant pas, ingrat! que c'était tout mon sacre,
Ce fard noyé dans l'eau perfide des glaciers.

Selon ce poème hautement allégorique, l'artiste, à la fois exclu de la vie et séparé de l'idéal, doit rester le prisonnier d'un espace clos: *histrion*, ou *mauvais Hamlet*, il ne doit pas quitter les tréteaux, l'univers factice où la suie des quinquets sert à représenter la plume ornant la joue de l'acteur. Le sacrilège est de vouloir abandonner le lieu de la figuration métaphorique (à la fois parodique dans ses moyens et grave dans ses effets) pour conquérir les satisfactions de la vie [1].

[1] Sur le mode plaisant ou mélodramatique, *Les Saltimbanques* (1899) de Louis Ganne et le *Paillasse* (1892) de Leoncavallo, développent le thème de la collision entre l'art et la vie. Œuvres triviales, dont le style prend le parti de la vie, elles ont connu le succès. Peut-être le public s'est-il plu à voir, dans un spectacle « d'art », l'art succomber sous la contradiction victorieuse de la réalité passionnelle ou de la convention sociale.

Picasso : Salomé - 1905.

De l'androgyne à la femme fatale

PRÊTONS maintenant la plus grande attention à certaines des remarques de Théophile Gautier; Auriol, tel qu'il le décrit, est un androgyne: *C'est un Hercule mignon avec de petits pieds de femme...* Tout se passe comme si la légèreté *féminisait* l'acrobate. On dirait aussi bien que c'est un Antinoüs musclé. L'épanouissement du corps, dans la merveille de l'adresse qu'il déploie, constitue une variante *dynamisée* de l'attitude narcissique; l'être voue à lui-même toute son attention; c'est dans son corps, dans sa motricité exaltée que tout son intérêt est investi: à la différence du Narcisse contemplatif penché sur son image immobile, l'acrobate, sous les yeux du public auquel il s'exhibe, poursuit sa propre perfection à travers la réussite de l'acte prodigieux qui met en valeur toutes les ressources de son corps. (Et l'on ajoutera que la réussite poétique de l'art pour l'art atteste la même solitude narcissique; la Beauté qui se suffit à soi-même est un androgyne: son désir est désir d'elle-même.)

L'androgynie du clown acrobate est moins une constatation «objective» qu'une projection imaginative du spectateur poète. Même lorsque le commentaire littéraire demeure assez superficiel (et c'est le cas chez Banville et Gautier), même lorsque nous restons au plus près du style de la chronique et de la «chose vue», une surcharge fabuleuse et mythique vient gauchir la description. Quand l'élaboration littéraire se fera plus passionnée, le rôle de la rêverie mythique ira s'accentuant.

Pour Flaubert adolescent, le monde forain est un royaume lointain, inaccessible, brillant d'autant de feux que celui de la «haute société». Ce sont deux franges «exotiques» aux confins de l'univers bourgeois. Le champ de foire, en pleine

Palmyre Anato, écuyère de panneau - vers 1850.

Europe, déploie un clinquant oriental, un âge révolu, un univers barbare et raffiné, séparé de la vie réelle par une impalpable frontière qui rend désirables tant de merveilles à la fois proches et interdites. L'écuyère, la femme acrobate, non moins que les vraies princesses, sont des étrangères énigmatiques, avec la souplesse, avec la vigueur qui font d'elles des persécutrices idéales.

Ecoutons les confidences du jeune Flaubert; nous y retrouvons les images, qui nous sont déjà connues, de l'envol dans la hauteur, mais avec une participation passionnelle plus intense:

Vaguement je convoitais quelque chose de splendide que je n'aurais su formuler par aucun mot, ni préciser dans ma pensée sous aucune forme, mais dont j'avais néanmoins le désir positif incessant. J'ai toujours aimé les choses brillantes. Enfant, je me poussais dans la foule, à la portière des charlatans, pour voir les galons rouges de leurs domestiques et les rubans de la bride de leurs chevaux; je restais longtemps devant la tente des bateleurs, à regarder leurs pantalons bouffants et leurs collerettes brodées. Oh! comme j'aimais surtout la danseuse de corde, avec ses longs pendants d'oreilles qui allaient et venaient autour de sa tête, avec son gros collier de pierres qui battait sur sa poitrine! avec quelle avidité inquiète je la contemplais, quand elle s'élançait jus-

Lautrec: Travail sur le panneau - 1899.

Seurat: Le cirque - 1891.

qu'à la hauteur des lampes suspendues entre les arbres, et que sa robe, bordée de paillettes d'or, claquait en sautant et bouffait dans l'air! Ce sont là les premières femmes que j'ai aimées. Mon esprit se tourmentait en songeant à ces cuisses de formes étranges, si bien serrées dans des pantalons roses, à ces bras souples, entourés d'anneaux qu'elles faisaient craquer sur leur dos en se renversant en arrière, quand elles touchaient jusqu'à terre avec les plumes de leur turban... L'actrice, la cantatrice prendront aisément dans la rêverie de l'adolescent, la succession de la funambule. La féminité idéale s'associe pour lui (comme pour tant de ses contemporains) à l'éclairage glorieux et infamant d'une *scène* où la femme s'offre et se refuse tout ensemble, dans l'impudeur d'une exhibition payante. Le spectacle est tentation, et, comme saint Antoine, le spectateur subit une fascination dont il ne saura se défendre que par l'auto-fustigation.

Quarante ans de distance séparent les lignes de Flaubert que nous venons de citer et les étranges rêveries où Des Esseintes fait défiler les images de ses maîtresses : la première qui apparaît à sa mémoire est une acrobate de cirque, Miss Urania, *une Américaine, au corps bien découplé, aux jambes nerveuses, aux muscles d'acier, aux bras de fonte.* En observant cette femme, le héros de J. K. Huysmans s'est laissé entraîner à une projection imaginative, qui est l'exact contraire de la féminisation de l'acrobate Auriol sous les yeux de Gautier. Miss Urania devient une dominatrice masculine, devant laquelle le spectateur éprouve un sentiment de dévirilisation : mais cette inversion des rôles sexuels, loin de provoquer la répulsion, excite en Des Esseintes la curiosité et le désir ; il souhaite faire de cette fille la partenaire énergique d'une expérience masochiste : *A mesure qu'il admirait sa souplesse et sa force, il voyait un artificiel changement de sexe se produire en elle ; ses singeries gracieuses, ses mièvreries de femelle s'effaçaient de plus en plus, tandis que se développaient, à leur place, les charmes agiles et puissants d'un mâle... Alors de même qu'un robuste gaillard s'éprend d'une fille grêle, cette clownesse doit aimer, par tendance, une créature faible, ployée, pareille à moi, sans souffle, se dit Des Esseintes ; à se regarder, à laisser agir l'esprit de comparaison, il en vint à éprouver de son côté l'impression que lui-même se féminisait, et il envia décidément la possession de cette femme...* L'épreuve de la réalité — c'est-à-dire la possession de Miss Urania — détruira le fantasme, à la grande déception de Des Esseintes. L'image qui succède

Degas: Danseuse au
bouquet, saluant, détail - 1878.

Degas: Café-concert:
le chant du chien - 1875-1877.

à Miss Urania dans la mémoire du héros sera celle d'une ventriloque de café-concert...

De Flaubert à Huysmans, un curieux thème mythique s'est propagé et amplifié, lié à l'exotisme du spectacle forain. La femme, telle qu'on a le droit de la contempler *en payant*, n'est pas seulement différente de toutes les autres femmes : elle est, de plus, secrètement différente de son apparente féminité. Elle possède un immense pouvoir de métamorphose, associé à son agilité — d'où son aptitude à revêtir, pour le spectateur, un rôle sexuel changeant. Elle se prête au caprice imaginatif de l'amateur. A première vue, elle n'est qu'un objet merveilleux, qui paraît attendre d'être cueilli comme un fruit. Elle semble appartenir virtuellement au plus offrant. Elle est une chose, presque une victime ; on se la représente captive d'une tyrannie implacable : un directeur cruel la séquestre et l'exploite. Princesse prisonnière, elle attend d'être délivrée. Mais cette victime, cet objet vénal, a des *muscles d'acier* : par sa force, par ses ressources surhumaines, par son animalité superbe, elle échappe à toute sujétion. Selon la dialectique polaire de l'imagination, la victime idéale se transforme rapidement en bourreau : dans la souplesse de ce corps féminin se cache en fait une virilité agressive et dan-

Munch : Le vampire - 1894.

gereuse. Quelque chose l'apparente aux fauves que l'on exhibe sur la même piste. Malheur à l'imprudent qui prétendrait la posséder. Cette écuyère n'est pas seulement une froide amazone, une Diane indifférente à l'amour : c'est une Hécate funèbre qui conduit une troupe blême de trépassés. Peu s'en faut qu'on ne lui attribue les dents aiguës du vampire en quête de sang frais : le mythe de la *vamp* prend ici son origine. L'un des exemples les plus saisissants de ce personnage est la *Lulu* de Frank Wedekind, qui apparaît au début de l'*Erdgeist* (1895) dans un costume de Pierrot. Cette femme destructrice finira elle-même par devenir la victime de Jack l'Eventreur : elle réunit en elle les deux aspects, actif et passif, du rôle pervers imaginaire que le spectateur est tenté de projeter sur l'actrice. La *Salomé* d'Oscar Wilde pourrait aussi bien illustrer cette fonction *fatale* : tout lui est accordé par Hérode, en échange du spectacle de son corps dansant ; et ce qu'elle demande, après la danse des sept voiles, c'est la tête de Jokanan, l'homme de Dieu.

◁ Beardsley : « The Climax », illustration pour « Salomé » d'Oscar Wilde.

Grandville: Les amours - 1843.

Corps désirables et corps humiliés

A ce niveau d'élaboration interprétative, le triomphe agile du corps féminin devient une manifestation du mal, et ce triomphe prend toute sa dimension de scandale par la perdition ou le sacrifice corrélatifs d'un partenaire masculin. Il suffit de rappeler que dès le moyen âge, la danse est associée à la symbolique de la luxure, péché capital ; et que, dans l'antiquité païenne, les danses et les jeux d'adresse, sitôt qu'ils ont cessé d'avoir une valeur rituelle et votive, ont été tenus pour impudiques et infamants.

Tandis que, dans les jeux de compétition, le

corps se dépasse vers son exploit mesurable, tandis que, dans le mouvement rituel, le geste se transcende vers une signification symbolisée, la danse et l'acrobatie spectaculaires ne renvoient qu'au corps lui-même, à sa grâce, à sa vigueur, à son attrait érotique. Cette référence du corps à lui-même n'est toutefois pas du même ordre que lorsque le corps est nu et immobile. La danseuse — pour peu vêtue qu'elle soit — assume toujours un rôle illusoire, elle devient une autre, elle *représente* une fleur, un oiseau, une divinité imaginaire, un personnage de la tradition culturelle (une sylphide, ou Titania ou la Péri). Mais cette «aliénation représentative», quels qu'en soient le décor et les accessoires vestimentaires, est tout entière soutenue par le corps de la danseuse, et jusque dans la réussite de ces incarnations allusives, la présence charnelle reste prépondérante. Un battement perpétuel enlève le corps dans une signification fictive et le renvoie de cette signification à la présence physique littérale. L'attrait qu'exerce la danseuse réside pour une très grande part dans ce dépassement arrêté, qui l'entoure d'un halo de significations *courtes,* significations sans cesse reprises et recréées par l'être de chair. L'évasion manquée du corps vers un sens évanescent, aux yeux de

Brandard: «King of the Castle» - 1858.

l'*esthète* du XIXe siècle, constitue la séduction la plus troublante. Dans la nouvelle que Baudelaire intitule d'un nom de guerre éclatant et frivole, *La Fanfarlo*, la fascination exercée par l'héroïne résulte des rôles fabuleux dont elle soutient successivement l'illusion parfaite. Pour que le corps de la Fanfarlo exerce tout l'attrait qui la rend désirable, il faut que, dans l'univers magique de la pantomime, elle développe une multiplicité de personnages: *Elle y paraissait par une agréable succession de métamorphoses sous les personnages de Colombine, de Marguerite, d'Elvire et de Zéphyrine, et recevait, le plus gaiement du monde, les baisers de plusieurs générations de personnages empruntés à divers pays et diverses littératures... La Fanfarlo fut tour à tour décente, féerique, folle, enjouée; elle fut sublime dans son art, autant comédienne par les jambes que danseuse par les yeux... La danse peut révéler tout ce que la musique recèle de mystérieux, et elle a de plus le mérite d'être humaine et palpable. La danse, c'est la poésie avec des bras et des jambes, c'est la matière, gracieuse et terrible, animée, embellie par le mouvement*. Car la femme est matière, pour Baudelaire. Et si elle n'est pas transfigurée par une signification esthétique (qu'elle crée ou que le spectateur lui attribue), elle s'abîme dans la matérialité littérale de son corps — dans le péché de l'existence naturelle. Le héros de Baudelaire ne désire la Fanfarlo que dans la mesure où il reconnaît en elle les figures du répertoire littéraire, et tout un passé de culture : *Elle fut à la fois un caprice de Shakespeare et une bouffonnerie italienne*. Et quand la Fanfarlo, dévêtue, s'offre à lui, Samuel Cramer *pris d'un caprice bizarre, se mit à crier comme un enfant gâté : — Je veux Colombine, rends-moi Colombine ; rends-la-moi telle qu'elle m'est apparue le soir qu'elle m'a rendu fou avec son accoutrement fantasque et son corsage de saltimbanque !... — Eh ! n'oubliez pas le rouge !* C'est l'ennemi de la nature qui apparaît ici, l'auteur de l'éloge du maquillage. Prêt à s'agenouiller et à souffrir mille morts devant une idole artificiellement parée (et dont il reconnaît parfaitement, pour y avoir lui-même contribué, tout le mensonge), il exercera la plus méprisante cruauté à l'égard de la Fanfarlo, lorsque celle-ci ne sera plus qu'une femme, incapable de faire durer l'oscillation entre la présence réelle et la signification symboliquement évoquée ; l'actrice retombée à sa nature de femme perd à tout jamais le prestige de son rôle, elle se laisse complètement envahir par l'inertie de la chair. Quand le poète s'éloigne, le pouvoir d'envol de la Fanfarlo se dissipe, la fatalité antagoniste, celle de la pesanteur, triomphe ; et le poète prend sa revanche en décrivant de façon insultante le destin de cette fille après la rupture : *Quant à elle, elle engraisse tous les jours ; elle est devenue une beauté grasse, propre, lustrée et rusée, une espèce de lorette ministérielle.* Après avoir été, dans le costume de Colombine, en accoutrement de saltimbanque, la séductrice la plus troublante, il ne lui reste plus qu'à devenir l'un de ces êtres dont Baudelaire, dans *Mon cœur mis à nu*, parle avec une froide agressivité : *La femme est le contraire du dandy. Donc elle doit faire horreur. La femme a faim et elle veut manger. Soif et elle veut boire. Elle*

Grandville : Voyage pour l'Eternité.

Rops: Le vice suprême - 1884.

est en rut et elle veut être foutue. Le beau mérite! La femme est naturelle, *c'est-à-dire abominable... La femme ne sait pas séparer l'âme du corps. Elle est simpliste, comme les animaux. — Un satirique dirait que c'est parce qu'elle n'a que le corps.* Baudelaire est ici le témoin d'un malaise de la condition corporelle, qui est l'un des caractères persistants de l'esprit de son temps. Le corps, c'est le mal, c'est la contingence ; l'on va au cirque, au champ de foire, à l'opéra, pour voir des corps chercher, glorieusement, vainement, leur rédemption par le mouvement : on y goûtera, tout ensemble, la tentation du péché et la promesse d'une délivrance esthétique. Les corps en mouvement ne se prêtent-ils pas à une lecture idéalisante? Mallarmé pour justifier son goût des spectacles, réintroduira la notion de rite et de culte ; il s'enchante de la grâce et de l'enchevêtrement des mouvements, mais à la condition d'en faire le *signifiant* dirigé vers une mystérieuse révélation : la danse est pour lui le texte mouvant d'un discours silencieux parlé par le corps, mais en lequel le corps s'abolit. Le ballet prend valeur d'*hiéroglyphe* : *La danseuse* n'est pas une femme qui danse, *pour ces motifs juxtaposés qu'elle* n'est pas une femme, *mais une métaphore résumant un des aspects élémentaires de notre forme, glaive, coupe, fleur, etc.,* et qu'elle ne danse pas, *suggérant, par le prodige de raccourcis ou d'élans, avec une écriture corporelle ce qu'il faudrait des paragraphes en prose dialoguée autant que descriptive, pour exprimer, dans la rédaction : poème dégagé de tout appareil du scribe.* Mais ce dépaysement sémantique, s'il dépend du talent suggestif de l'acteur, n'est pas moins tributaire de l'effort mental du spectateur. A tout moment, le danseur peut déchoir de la fonction signifiante qui lui est attribuée à son insu et qui pour ainsi dire lui dérobe son corps ; il coïncidera à nouveau avec sa réalité matérielle : non point lourdement attiré vers le sol, mais abandonné par la signification idéale et réduit à la triste évidence de sa présence charnelle.

Baudelaire par lui-même.

Cette oscillation définit parfaitement le climat qui prévaut (au cirque comme à l'opéra) à la fin du XIXe siècle. Entre le triomphe de la chair et la virtualité d'une signification symbolique (suggérée par l'argument du ballet, mais le plus souvent assumée par le poète-spectateur), le spectacle offre à l'esprit un choix vertigineux : se laisser fasciner par la forte et vulgaire présence du réel vital, ou transcender, par un décret de la conscience interprétante, cette réalité du corps pour s'élancer vers le lointain d'une signification allégorique. L'esprit trouve alors dans le bond de la danseuse ou de l'acrobate, l'image de son propre bond « hyperbolique » hors de tout sens littéral. L'on conçoit dès lors qu'en cette époque où se développent parallèlement les courants du réalisme et du symbolisme, le cirque ait pu tour à tour s'offrir à une lecture « réaliste » (*Les Frères Zemganno* d'Edmond de Goncourt) et « symboliste » (*Le Cirque solaire* de Gustave Kahn).

Si le corps est le mal, tout ce que l'on pourra faire de mieux, ce sera de l'éluder, ou de le transfigurer. Le *dandy* (que Baudelaire oppose à la femme *naturelle*) est précisément l'homme qui s'efforce de transcender le donné contingent de l'existence corporelle. Par la magie des artifices de la toilette, le dandy cherche à s'absenter de son corps; et, comme l'a bien montré Jean-Paul Sartre, il ne prend tellement soin de sa personne qu'afin de ne pas coïncider avec sa présence corporelle: il règne au-delà, dans un royaume d'esprit, où nul ne peut l'atteindre. Le voici, glacé, invulnérable, masqué, habitant provisoire de son apparence, et presque réduit — par sa volonté — à l'état de spectre. Remarquons ici qu'une des fonctions habituelles du clown, dès la Renaissance et le théâtre élisabéthain, est de parodier le dandy : le rire naît à voir un candidat au dandysme rester pris au piège de son corps.

Car rien ne ramène au corps comme l'échec rencontré dans la tentative d'échapper au corps. Qui veut faire l'ange fait la bête. C'est l'image que nous offre exemplairement l'homme du XIXe siècle. S'il est un bourgeois sérieux, s'il ne se joint pas à la troupe suspecte des dandys, il se définit *abstraitement*, comme une conscience et si possible une bonne conscience, ou comme une «puissance financière». Sa présence physique, son corps, est le moindre de ses attributs. En dehors même de tout ascétisme, le corps est considéré comme une adjonction encombrante, tout juste bonne à couvrir de vêtements sombres. Il est voué à l'abandon, oublié, «refoulé» dans les ténèbres extérieures. *Cave carnem,* écrit significativement Amiel dans son *Journal* de 1857. La distinction se fait difficilement entre le clergyman et le bourgeois respectable: tous deux occultent de la même façon la gênante présence corporelle. Les barbes *patriarcales* ne laissent plus flamboyer que le regard, *miroir de l'âme*. Mais par une singulière dialectique, le corps à l'abandon se déforme, se voûte, prend de la bedaine; on avait voulu l'oublier, il revient à la charge de façon obscène et grotesque. Baudelaire s'exclame:

O monstruosités pleurant leur vêtement!
O ridicules troncs! torses dignes des masques!
O pauvres corps tordus, maigres, ventrus ou flasques,
Que le dieu de l'Utile, implacable et serein,
Enfants, emmaillota dans ses langes d'airain!

Inessentiel, contingent, le corps «fait son jeu à part»; il aurait dû s'effacer, le voici qui réapparaît comme une fatalité ridicule. Le bourgeois penché sur ses comptes, l'ouvrier ajouté et comme accouplé à son impitoyable machine, sont à titre égal les témoins d'une dépossession (d'une aliénation) où le corps est confisqué par une tâche qui se fait passer pour un absolu.

Daumier sera le témoin génial de cette *misère* de la condition charnelle. Certes, sous la plume de Nietzsche et de quelques autres, l'appel à un réveil et à une réhabilitation du corps ne va pas tarder à se faire entendre, joint à une célébration de la danse. Mais cet appel n'eût pas été aussi véhément, si le corps n'avait pas subi une sorte d'exil : un exil en pleine lumière, parce que l'esprit, de son côté, absenté dans la région des fins lointaines, a cessé d'avoir le corps pour véritable compagnon.

Ce destin, au XIXe siècle, est principalement le fait de la masculinité, et quand bien même la plupart des femmes connaissent le même sort, l'homme du XIXe siècle se fait de la féminité idéale une image inverse et complémentaire. La femme, selon ce mythe, est la grande tentatrice parce que sa nature la voue à ne pas s'absenter de son corps. Ce qui la rend attirante et redoutable, c'est qu'elle représente la tiède et coupable inhérence au corps, l'opulente immanence charnelle. Pour l'homme qui s'est désolidarisé de son apparence physique, la plénitude vitale du nu féminin représente un aspect de l'unité primitive que la civilisation n'a pu détruire. Voyez l'emblématique *Déjeuner sur l'herbe* de Manet. Les nostalgiques évoqueront l'Eden perdu, ou iront le chercher en Polynésie. Dans ce corps régi par sa loi organique, l'esprit sommeille encore, et la chair est stupidement limitée à sa splendeur propre. Elle est une *richesse naturelle*: or le siècle en est à l'exploitation des richesses naturelles. C'est pourquoi la *créature* féminine peut être traitée en objet, soit qu'on fasse d'elle une idole emplumée, soit qu'on la contraigne à devenir objet de trafic. Courtisanes, cocottes, grisettes, pierreuses, aux diverses hauteurs de l'échelle sociale, sont les images (réelles et mythiques tout ensemble) de la féminité *folle de son corps,* mais que vient contaminer — avarie insidieuse — l'empire abstrait de l'argent. Sur scène, l'écuyère, la dompteuse, la danseuse, la femme acrobate vont manifester la condition charnelle de la femme de façon plus indépendante: elles exercent sur leur corps une maîtrise splendide, elles en multiplient par le mouvement toutes les séductions, elles savent en déployer toutes les énergies dans le triomphe gratuit de la virtuosité: mais ce triomphe occupe l'aire limitée de l'arène et du théâtre; il nous est offert sous la lumière artificielle des projecteurs; la femme victorieuse y est environnée d'un décor d'illusion qui est à la fois écrin et prison. Pour le viveur, c'est une proie offerte, qui se laissera entraîner sans résis-

Picasso: Les soupeurs - 1901.

tance dans quelque «cabinet particulier» de restaurant fin. Rien n'est plus significatif que ces images de *soupeurs* qui se multiplient autour de 1900. L'homme et la femme se trouvent confrontés devant les huîtres et le champagne: lui, pansu, grotesque, en jaquette, protégé par la coque énorme du plastron, les yeux mi-clos; elle, gourgandine ou *artiste,* décolletée, épanouie comme un chrysanthème, toute en chair et en reflets nacrés d'épiderme...

Que vienne à s'accentuer l'écart, le décalage différentiel entre le corps ridicule de l'homme et le corps glorieux de la femme, celle-ci apparaîtra comme un Eldorado inaccessible, comme une fleur interdite. Relégué dans sa convoitise débile, dans le vain désir, dans la disgrâce du corps et la difformité, l'homme se fera le poète d'une Eve ancienne ou future, à moins qu'il ne s'applique à dénoncer la duperie de la féminité triomphante : quant à sa propre situation, il pourra s'en donner une représentation mythique en recourant à des

Deux acteurs - art attique - IVe siècle av. J.C.

images empruntées au monde de la bouffonnerie traditionnelle. Car, d'immémoriale antiquité, le monde du théâtre populaire a cultivé, en même temps que les merveilles de l'agilité, le comique de la balourdise. Si le clown anglais, dans le théâtre du XVIe siècle, est l'héritier du diablotin médiéval Vice, s'il en a parfois la vivacité infatigable, il est aussi (par son étymologie qui remonte à *clod* = motte de terre) le rustaud, le lourdaud, l'être à la compréhension lente, le maladroit qui exécute de travers tout ce qu'on

Rouault: Têtes à massacre - 1907.

lui demande. Dans le langage de la caractérologie alchimique, le clown agile correspond au type *mercuriel,* tandis que le clown balourd exprime la pesanteur de la *terre,* dont il a aussi la froideur. C'est à peine si l'idée de l'amour l'effleure : et lorsqu'une conquête s'offre à lui, il la laisse niaisement échapper. A cette tradition appartiennent les Gilles et les Pierrots de la *Commedia.* Ce sont les héros d'un échec perpétuel, échec dont ils ont eux-mêmes à peine conscience, tant leur esprit est obtus... Ce type traditionnel offrait une image prédestinée à représenter la déconfiture de la masculinité face à la féminité triomphante. Les peintres — Lautrec, Seurat — multiplieront, aux pieds des légères et glorieuses écuyères en tutu, l'image de l'Auguste hilare, indifférent, titubant ; de leur côté, les écrivains (escortés par leurs illustrateurs) traceront avec des souvenirs de musée la geste de Gilles et de Pierrot ; Germain Nouveau interroge :

Gilles, fils de Watteau, grand frère des Lys blancs,
Debout dans le soleil et tombé de la Lune,
Es-tu sombre, es-tu gai, dans tes habits ballants ?
L'âne brait-il ? ou si le Docteur t'importune ?

Laforgue prête aux *blancs enfants de chœur de la Lune* tous les sarcasmes d'une philosophie misogyne, la déception ayant été bue jusqu'à la lie :

...l'idée de la femme
Se prenant au sérieux encor
Dans ce siècle, voilà, les tord
D'un rire aux déchirantes gammes !

Ne leur jetez pas la pierre, ô
Vous qu'affecte une jarretière !
Allez, ne jetez pas la pierre
Aux blancs parias, aux purs pierrots !

Mais ces personnages si pleins d'ironie pour la femme et pour l'amour, sont de mèche avec la mort ; ils savent qu'elle est la grande et véritable triomphatrice. Ils expriment la misère de la condition corporelle jusqu'à devenir eux-mêmes des fantômes, des revenants, des acteurs de danse macabre. Verlaine, dont le personnage évoluera tout au contraire vers l'apparence du clown sensuel noyé d'alcool et de larmes, propose de Pierrot un portrait spectral :

Ensor: Pierrot et squelette en jaune - 1893.

Ce n'est plus le rêveur lunaire du vieil air
Qui riait aux aïeux dans les dessus de porte,
Sa gaîté, comme sa chandelle, hélas! est morte,
Et son spectre aujourd'hui nous hante, mince et clair.

Et voici que parmi l'effroi d'un long éclair
Sa pâle blouse a l'air, au vent froid qui l'emporte,
D'un linceul, et sa bouche est béante, de sorte
Qu'il semble hurler sous les morsures du ver.

En prenant cet aspect blafard et macabre, le Pierrot balourd a gagné une agilité superlative : fantoche démoniaque, voltigeant sur les vents d'outre-tombe, il n'est plus un être pétri de lourde pâte terrestre : il est redevenu un être mercuriel, du vif-argent circule dans ses veines, il franchit comme un cercle de papier les frontières de la vie et de la mort. Le Pierrot efflanqué des symbolistes et de Willette est une figure *syncrétique* qui amalgame les souvenirs évidents de la *Commedia*, mais encore la silhouette méditative d'Hamlet, la grimace du Méphistophélès goethéen, le tout agrémenté *ad libitum* de canaillerie montmartroise. Mais à l'inverse de l'agilité vitale de l'acrobate et de la danseuse de corde, la souplesse mercurielle du Pierrot spectral ne l'entraîne pas dans la hauteur glorieuse : il appartient au *gouffre d'en bas*. Déjà, dans la biographie de Jules Janin, le personnage à demi légendaire de Deburau apparaissait comme un artiste persécuté par la malchance, voué aux accidents et aux chutes les plus humiliantes. De surcroît, Jules Janin avait (contrairement à Gautier) interprété la pantomime des Funambules non comme une manifestation vigoureuse du génie populaire, mais bien davantage comme un produit de décomposition, comme un divertissement de

«Les Enfants du Paradis» de Marcel Carné - 1943-1945.

Bas-Empire. Dans l'atmosphère *décadente* de la fin du siècle, les Pierrots lunaires s'acclimateront sans peine. Prêtons-y attention, Gautier lui-même a contribué à éclairer Deburau de cette lumière spectrale.

Détaché, froid, insensible aux attraits de la femme, Pierrot ne lui apparaît pas seulement comme le niais de la tradition, qu'intéressent tout au plus les plaisirs de la gloutonnerie. Aussi bien dans ses commentaires que dans son propre théâtre, Gautier n'a pas tardé à en faire un *Sonderling*, un être *en marge*, dont la vraie patrie n'est pas de ce monde. La distraction métaphysique de Pierrot l'écarte des vivants jusqu'à le transformer en personnage *posthume*, sorti des limbes et voué à s'y précipiter à nouveau. C'est un déserteur de la vie terrestre. (Giselle, la Péri — les héroïnes-étoiles que Gautier a destinées à la musique et à la danse — sont elles aussi des habitantes de l'au-delà.)

Dans la très fameuse pantomime du *Marchand d'habits*, Pierrot assassine un fripier pour s'assurer une brillante réussite sociale; au moment où il s'apprête à conduire à l'autel l'héritière qui le fera duc, le spectre du marchand d'habits apparaît, *enlace Pierrot dans ses longs bras, et le force à exécuter avec lui une valse*

Daumier: Déplacement de saltimbanques - vers 1847-1850.

infernale... L'assassiné serre l'assassin contre sa poitrine, de telle sorte que la pointe du sabre pénètre le corps de Pierrot et lui sort entre les épaules. La victime et le meurtrier sont embrochés par le même fer comme deux hannetons que l'on aurait piqués de la même épingle. Le couple fantastique fait encore quelques tours et s'abîme dans une trappe, au milieu d'une large flamme d'essence de térébenthine... Pierrot devient ainsi une figure exemplaire du crime et du châtiment, il est un parangon de l'échec. Gautier déchiffre en lui une allégorie qui concerne l'humanité dans son essence : *Pierrot qui se promène dans la rue avec sa casaque blanche, son pantalon blanc, sa figure enfarinée, préoccupé de vagues désirs, n'est-ce pas la symbolisation de l'âme humaine encore innocente et blanche, tourmentée d'aspirations infinies vers les régions supérieures?* Ce commentaire de Gautier, à son tour, est la «symbolisation» des convictions de l'*artiste* de 1840, qui n'aperçoit la réussite et la richesse que sous l'aspect du crime, et qui cherche la complicité de la mort ou de la malédiction pour protéger l'idée qu'il se fait de sa pureté.

Redon: La fleur du marais - 1885.

Naissance du clown tragique

Il appartenait à Baudelaire de porter à leur plus haut degré de concentration les thèmes qui nous sont apparus jusqu'ici en ordre dispersé. Cette élaboration littéraire n'est plus seulement une variation brillante sur un sujet pittoresque: elle correspond au développement d'une dramaturgie intime, et elle aboutit à une image infiniment complexe de la condition du poète et de la poésie. Baudelaire, poète des «deux postulations simultanées», a conféré à l'artiste, sous la figure du bouffon et du saltimbanque, la vocation contradictoire de l'envol et de la chute, de l'altitude et de l'abîme, de la Beauté et du Guignon.

Le poème de l'*Albatros* assigne au poète la souveraineté dominatrice dans le coup d'aile solitaire, mais au prix d'une dégradation «clownesque» parmi les hommes :

Ce voyageur ailé, comme il est gauche et veule!
Lui, naguère si beau, qu'il est comique et laid!

La misère fait de sa *Muse vénale* un *saltimbanque à jeun* : elle vient *étaler* ses appas ; elle exhibe son rire...

trempé de pleurs qu'on ne voit pas,
Pour faire épanouir la rate du vulgaire.

Baudelaire renouvelle et approfondit une tradition (qui remonte à tout le moins au XVIIIe siècle), selon laquelle l'acteur cache sous son triomphe et ses joies feintes une âme désespérée. Il contribue à fixer, mieux que le Triboulet et le Gwynplaine de Victor Hugo, l'archétype du clown tragique, dont l'image se perpétuera à travers la littérature et la peinture de plusieurs décennies.

Lorsqu'il décrit le comique violent des clowns anglais, Baudelaire s'attarde avec complaisance aux images où le clown joue le rôle d'une victime grotesque: *Le Pierrot anglais arrivait comme la tempête, tombait comme un ballot, et quand il riait, son rire faisait trembler la salle; ce rire ressemblait à un joyeux tonnerre... Pour je ne sais quel méfait, Pierrot devait être finalement guillotiné... L'instrument funèbre était donc là dressé sur des planches françaises, fort étonnées de cette romantique nouveauté. Après avoir lutté et beuglé comme un bœuf qui flaire l'abattoir, Pierrot subissait enfin son destin. La tête se détachait du cou, une grosse tête blanche et rouge, et roulait avec bruit devant le trou du souffleur, montrant le disque saignant du cou, la vertèbre scindée, et tous les détails d'une viande de boucherie récemment taillée pour l'étalage. Mais voilà que, subitement, le torse raccourci, mû par la monomanie irrésistible du vol, se dressait, escamotait victorieusement sa propre tête comme un jambon ou une bouteille de vin, et, bien plus avisé que le grand saint Denis, la fourrait dans sa poche!*

Lors de ce martyre cocasse, le clown retrouve dans sa vie «posthume» la faculté d'envol: il est un joyeux revenant. Mais dans la parabole *Une Mort héroïque* (dont le ton général est si proche de certains contes d'Edgar Poe) le bouffon Fancioulle va culbuter sans retour dans la mort.

La relation du bouffon et du prince, dans ce récit, est de nature sadique, la cruauté appartenant à titre égal à chacun des deux héros. Fancioulle a trempé dans une conspiration où l'on projetait d'abattre le prince : le bouffon, bien qu'il fût *presque un des amis du prince,* s'est laissé attirer, comme Baudelaire en 1848, par l'ivresse d'une aventure révolutionnaire. Dénoncé, arrêté, apparemment gracié, il n'est plus entre les mains du prince que la victime d'une vengeance raffinée. Ce prince artiste *qu'une excessive sensibilité rendait, en beaucoup de cas, plus cruel et plus despote que tous ses pareils,* va chercher à tromper son ennui en organisant une exécution hors du commun. Il promet à Fancioulle la vie sauve, à la condition que celui-ci joue à la perfection *l'un de ses principaux et de ses meilleurs rôles.* Bien que le récit évoque une Renaissance imaginaire, l'art de Fancioulle est celui de Deburau : *Le sieur Fancioulle excellait surtout dans les rôles muets ou peu chargés de paroles, qui sont souvent les principaux dans ces drames féeriques dont l'objet est de représenter symboliquement le mystère de la vie. Il entra en scène légèrement et avec une aisance parfaite...*

Fancioulle se surpasse. Mais un enfant, aposté par le prince, fait soudain entendre *un coup de sifflet aigu, prolongé...* Ce signe brutal de *désapprobation* interrompt Fancioulle *dans un de ses meilleurs moments... Fancioulle, secoué, réveillé dans son rêve, ferma d'abord les yeux, puis les rouvrit presque aussitôt, démesurément agrandis, ouvrit ensuite la bouche comme pour respirer convulsivement... et puis tomba roide mort sur les planches.*

Baudelaire, selon son aptitude à être tout ensemble la plaie et le couteau, est à la fois le tyran spleenétique et le mime souverainement agile qui, au moment où il accède au sommet de son génie, s'écroule, frappé au cœur par le signe aigu du refus opposé à son art. Mais Baudelaire est aussi, dans un angle de la scène, le témoin pour qui seul l'auréole est visible au-dessus de la tête du bouffon : *Ma plume tremble, et des larmes d'une émotion toujours présente me montent aux yeux pendant que je cherche à vous décrire cette inoubliable soirée.* Témoin privilégié, bourreau et condamné, Baudelaire est tout cela, dans sa dramaturgie intérieure. Le bouffon est devenu une victime sacrée — son auréole le sanctifie — qui bascule dans la mort, par un caprice du maître et par le détour d'un enfant inconscient et docile. Pour le témoin perspicace, la splendeur suprême de l'Art et la gloire de l'artiste se profilent sur fond d'abîme : *Fancioulle me prou-*

vait, d'une manière péremptoire, irréfutable, que l'ivresse de l'Art est plus apte que toute autre à voiler les terreurs du gouffre ; que le génie peut jouer la comédie au bord de la tombe avec une joie qui l'empêche de voir la tombe, perdu, comme il est, dans un paradis excluant toute idée de tombe et de destruction.

L'art, on le voit, n'est pas une efficace opération de salut, mais une pantomime sublime au bord de la tombe, voilant, pour un instant seulement, *les terreurs du gouffre*. Comme Georges Blin l'a souligné, Baudelaire, qui a fait de l'art son idéal, doute du pouvoir rédempteur de la beauté. Sur la crête où il surplombe l'abîme, l'artiste, en sa plus émouvante réussite, est une apparition infiniment fragile. Il ne *tient* pas sous le coup de sifflet. Le bouffon, autoportrait travesti de Baudelaire lui-même, figure, sous une forme à peine parodique, le vertige mortel auquel l'artiste est exposé, non seulement parce qu'il a osé attenter à la personne du maître (du Père), mais parce qu'il subit le manque d'*être* qui s'attache à la nature illusoire de l'art.

Ce qu'*Une Mort héroïque* nous a dit sous la forme aiguë d'une nouvelle exemplaire, Baudelaire le répétera sur le ton d'une chronique parisienne, où la *chose vue* au cours d'une promenade dans les faubourgs de la grande ville

Daumier: Bajazzo (Un clown).

Daumier: Hercule de foire - vers 1865.

s'élève soudain à la dimension d'une allégorie angoissante. Dans le poème en prose *Le Vieux Saltimbanque,* le narrateur parcourt une fête foraine, bruyante et multicolore. Les pitres et les amuseurs bondissants n'y manquent pas. L'agilité mercurielle est représentée par *un escamoteur, éblouissant comme un dieu,* tandis que les danseuses, *belles comme des fées ou des princesses, sautaient et cabriolaient sous le feu des lanternes qui remplissaient leurs jupes d'étincelles.* Le contraste n'en sera que plus saisissant avec l'histrion déchu dont Baudelaire va nous tracer longuement le portrait : *Au bout, à l'extrême bout de la rangée des baraques, comme si, honteux, il s'était exilé lui-même de toutes ces splendeurs, je vis un pauvre saltimbanque, voûté, caduc, décrépit, une ruine d'homme, adossé contre un des poteaux de sa cahute ; une cahute plus misérable que celle du sauvage le plus abruti, et dont deux bouts de chandelles, coulants et fumants, éclairaient trop bien encore la détresse.*

Partout la joie, le gain, la débauche ; partout la certitude du pain pour les lendemains ; partout l'explosion frénétique de la vitalité. Ici la misère absolue, la misère affublée, pour comble d'horreur, de haillons comiques, où la nécessité, bien plus que l'art, avait introduit le contraste. Il ne riait pas, le misérable ! Il ne pleurait pas, il ne dansait pas, il ne gesticulait pas, il ne criait pas; il ne chantait aucune chanson, ni gaie, ni lamentable, il n'implorait pas. Il était muet et immobile. Il avait renoncé, il avait abdiqué. Sa destinée était faite.

Mais quel regard profond, inoubliable, il promenait sur la foule et les lumières, dont le flot mouvant s'arrêtait à quelques pas de sa répulsive misère! Je sentis ma gorge serrée par la main terrible de l'hystérie, et il me sembla que mes regards étaient offusqués par ces larmes rebelles qui ne veulent pas tomber.

Que faire? A quoi bon demander à l'infortuné quelle curiosité, quelle merveille il avait à montrer dans ces ténèbres puantes, derrière son rideau déchiqueté...

Tandis que Fancioulle succombait en atteignant au comble de la virtuosité esthétique, le Vieux Saltimbanque figure un autre aspect de l'échec (aspect promis à un bel avenir dans les lettres et les arts): la déchéance silencieuse, le tarissement de la volonté, l'impuissance insurmontable. Son silence, d'une façon prophétique, annonce et préfigure l'aphasie de Baudelaire. Mais ces deux personnages — Fancioulle et le Vieux Saltimbanque — se ressemblent en dépit de tout ce qui les oppose : tous deux se découpent

«La Strada» de Federico Fellini - 1954.

sur fond d'abîme et de mort imminente. Ce sont deux *fins de carrière*: l'une dans le paroxysme d'un vain triomphe, l'autre dans l'immobilité et la paralysie. Gautier était le chroniqueur de l'envol du bouffon. Baudelaire — qui n'ignore rien du pouvoir d'envol — a fixé son attention sur la chute et sur l'affaissement. Si la mort de Fancioulle peut faire penser à la chute d'Icare, la survie hébétée du Vieux Saltimbanque est pire que la mort : la fantaisie dérisoire de la défroque, l'exhibition pitoyable subsistent pour rien, en pleine fête, sans que l'énergie d'une invention vivante soit capable de les animer. Le vieil artiste s'est séparé des hommes pour monter sur les tréteaux : il espère encore attirer leur attention ; mais il a cessé d'intéresser, et ce sont les hommes qui s'écartent de lui. La séparation est double, puisqu'elle correspond d'abord à la distance prise par l'artiste, puis à l'éloignement où se tient le public.

Dans les deux textes, le destin du bouffon-martyr dépend pour une large part d'une intervention de l'autorité extérieure : le prince, le public. Ce n'est pas seulement la fatalité interne de l'épuisement qui marque d'un caractère tragique le destin du Vieux Saltimbanque : le désintérêt de la foule n'est pas moins déterminant. En rétrécissant quelque peu le sens symbolique du personnage, Baudelaire fait de lui *l'image du vieil homme de lettres qui a survécu à la génération dont il fut le brillant amuseur, du vieux poète sans amis, sans famille, sans enfants, dégradé par sa misère et par l'ingratitude publique, et dans la baraque de qui le monde oublieux ne veut plus entrer*. Ainsi le *monde oublieux*, pour le Vieux Saltimbanque, joue le rôle sadique qui était celui du tyran cruel à l'égard de Fancioulle. Dans les deux textes, l'artiste, en opposition au pouvoir (incarné par le prince ou par le peuple), n'est pas assez fort pour survivre à la condamnation passée contre lui par le pouvoir. Seulement, tandis que le tyran désirait voir mourir Fancioulle dans l'exercice suprême de ses talents, la cruauté presque inconsciente du public consiste à *ne pas voir* le Vieux Saltimbanque. Dans les deux cas, un meurtre est perpétré : le tableau de la foire, scène moderne, nous offre, isolé dans la vulgarité de la foule, l'image d'un de ces vieillards pathétiques dont Baudelaire avait peuplé les *Tableaux Parisiens* des *Fleurs du Mal* ; le vieil histrion meurt à petit feu, dans un exil ridicule. (Sa cahute n'est-elle pas pire que celle du *sauvage* ? Sa misère, sa qualité d'*étranger,* ne sont-elles pas aggravées du fait qu'il a la vaine prétention de se montrer encore, le fol espoir de se «prostituer»?) Le lecteur attentif découvrira que, dans ces deux poèmes en prose, Baudelaire ne se borne pas à confronter une victime et un bourreau ; le poète se met lui-même en scène, dans un angle du tableau ; il est le témoin d'une scène qui le marque si profondément qu'il se sent gagné par les larmes, et que sa *gorge est serrée par la main terrible de l'hystérie*. La relation ainsi développée est «triangulaire», le témoin-poète venant recueillir l'image d'une *agonie* (au sens fort du terme) pour s'en faire à lui-même l'application symbolique et prophétique.

Ensor: La vengeance de Hop Frog - 1898.

Seurat: Le joueur de trombone - 1887.

Les sauveurs dérisoires

ENVOL et chute, triomphe et déchéance ; agilité et ataxie ; gloire et immolation : le destin des figures clownesques oscille entre ces extrêmes. Parfois nous assistons à la condensation convulsive des contraires (c'est le cas de Fancioulle) ; ailleurs prévaut l'alternance de ces états opposés ; ailleurs encore il est fait appel à la ressource traditionnelle des types associés par couples dissymétriques, où chaque partenaire remplit une fonction distincte.

Les œuvres des artistes de la fin du XIXe siècle

se laisseront envahir par l'écho des images provocantes de Baudelaire.

Chez Toulouse-Lautrec, dans les représentations qu'il a données du cirque et de ses vedettes, un bizarre contraste oppose la grâce des scènes de mouvement et l'accablement dont témoignent les personnages peints à l'état de repos. *Au repos, le corps est veule, avachi: porteur de lassitude et d'angoisse vide. Dans le geste fulgurant ou tendu, au contraire, il évoque la légèreté et la parfaite conformité de son architecture avec les nécessités de l'acte périlleux*[1]. Telle est bien la manière dont le peintre exprime la dualité que l'imagination littéraire projette sur le héros clownesque. *La clownesse Cha U Kao,* telle que l'immobilise le pinceau de Lautrec, apparaît comme une réplique féminine du Vieux Saltimbanque baudelairien. Jean Laude, dont le témoignage est intéressant, puisqu'il ne paraît pas avoir cherché à établir ce rapprochement, décrit ainsi ce tableau fameux: *Cha U Kao hélas est comme défaite, au repos: écroulée. Jambes écartées, dans un abandon presque obscène, elle laisse pendre ses bras et voûte ses épaules. Son visage exprime une*

[1] Jean Laude, Le monde du cirque et ses jeux. *Revue d'esthétique,* t. VI, 1953, pp. 411-433.

Lautrec: Clownesse assise - 1896.

lassitude immense et la conscience vacillante d'une dégradation. Mais le propre de l'univers de Lautrec, c'est de réserver à ces créatures effondrées la possibilité d'un rebondissement: si cette lassitude est l'envers du spectacle, le spectacle à son tour, avec ses lumières et ses fards, est le renversement de cette lassitude. Il reste toujours assez de ressources vitales pour cabrioler dans l'arène ou pour *brûler les planches,* dans l'énergie miraculeuse que ces créatures au teint blême et aux yeux cernés retrouvent (en quels breuvages ?) au-delà de leur fatigue.

Les clowns tragiques de Rouault se rattachent plus étroitement au Vieux Saltimbanque de Baudelaire. Ils relèvent d'une expérience analogue, tellement ressemblante que j'ai peine à croire que Rouault n'y ait pas été préparé par la lecture des *Petits Poëmes en prose.* Dans une lettre à son ami Schuré, Georges Rouault décrit la rencontre d'où résulta le choix du thème qui deviendra la constante obsessionnelle de son art. Rencontre décisive, puisqu'elle a permis à l'élève de Gustave Moreau d'abandonner la mythologie légendaire de son maître, et de lui substituer un mythe à la fois moderne et personnel : *Pour moi, depuis la fin d'un beau jour où la première étoile qui brille au firmament m'a je ne sais pourquoi étreint le cœur, j'en ai fait inconsciemment découler toute une poétique. Cette voiture de nomade arrêtée sur la route, le vieux cheval étique qui paît*

Rouault : Tête de clown tragique - 1904.

Rouault

l'herbe maigre; le vieux pitre assis au coin de sa roulotte en train de repriser son habit brillant et bariolé, ce contraste de choses brillantes, scintillantes, faites pour amuser, et cette vie d'une tristesse infinie... si on la voit d'un peu haut.

Puis j'ai amplifié tout cela. *J'ai vu clairement que le «pitre» c'était moi, c'était nous... presque nous tous... Cet habit* riche et pailleté, *c'est la vie qui*

Rouault: Tête de clown - vers 1907.

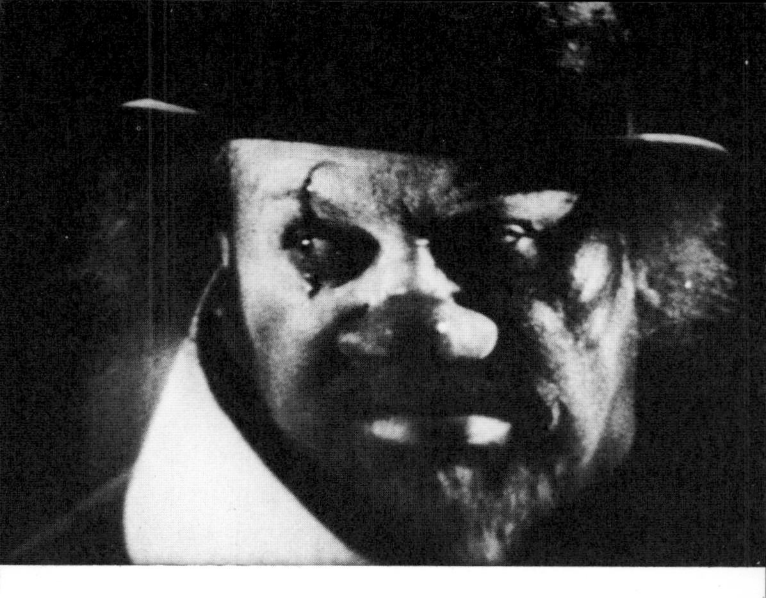

«L'Ange bleu» de Josef von Sternberg - 1930.

nous le donne; nous sommes tous des pitres plus ou moins, nous portons tous un «habit pailleté»; mais si l'on nous surprend comme j'ai surpris le vieux pitre, oh! alors, qui oserait dire qu'il n'est pas pris jusqu'au fond des entrailles par une incommensurable pitié? J'ai le défaut (défaut peut-être... en tout cas c'est pour moi un abîme de souffrances...) de ne laisser jamais à personne son habit pailleté, *fût-il roi ou empereur; l'homme que j'ai devant moi, c'est son âme que je veux voir... et plus il est grand, et plus on le glorifie humainement, plus je crains pour son âme... Tirer tout son art d'un regard, d'une vieille rosse de saltimbanque (homme ou cheval), c'est d'un orgueil fou — ou d'une humilité parfaite si l'on est fait pour faire cela.*

Ce qui émeut Rouault, c'est la collusion scandaleuse entre les oripeaux et l'âme. Celle-ci appartient à un ordre absolument différent : la défroque du clown radicalise le contraste en symbolisant le malheur d'une incarnation aberrante. Rouault veut nous atteindre par l'effet pathétique de la contradiction entre le dedans et le dehors. Il a besoin du travesti dérisoire, de l'habit pailleté, pour nous faire éprouver l'infinie tristesse de l'âme exilée hors de son vrai lieu, dans la condition «foraine» et dans l'existence errante. Le peintre se réserve le privilège de lire une vérité psychique dissimulée. Ce qui confère à la figure du clown sa supériorité fantasque sur les empereurs et les juges, c'est qu'au rebours des puissants qui sont pris au piège de leur parure et des attributs externes d'une vaine tyrannie, le clown est un *roi de dérision* ; portant le vêtement de la parade, il est plus près de se connaître dérisoire et de reprendre humblement possession de sa vérité indigente. A nous de nous apercevoir qu'il nous représente tous, que nous sommes tous des pitres, et que toute notre dignité (puisqu'il est permis ici de paraphraser Pascal) consiste dans l'aveu de notre pitrerie. Si nous apprenons à bien regarder, nos vêtements sont tous des habits pailletés. *Totus mundus agit histrioniam*. La formule stoïcienne, répétée au moyen âge par Jean de Salisbury, puis portée sur le fronton du Globe Theatre où jouait Shakespeare, reparaît dans le contexte d'un expressionnisme chrétien, riche de tout l'héritage du symbolisme. Le clown est le révélateur qui porte la condition humaine à l'amère conscience d'elle-même. L'artiste doit devenir l'acteur qui se proclame acteur ; en s'humiliant sous la figure de l'amuseur, il éveillera le spectateur à la connaissance du rôle pitoyable que chacun de nous joue à son insu dans la comédie du monde. (A la fois analogue et fort dissemblable, l'univers pictural de James Ensor multiplie les foules masquées, là où Rouault présente de préférence un petit nombre d'individus solitaires.)

L'on comprend que la vision du monde adoptée par Rouault l'ait conduit à forcer ses autoportraits jusqu'à en faire des faces clownesques. Le calot du peintre et le bonnet du clown (ou de Pierrot) sont interchangeables. Au-dessous, c'est le même visage, à des degrés variables d'interprétation symbolique. Il n'est pas inop-

Rouault: Le clown blessé - 1939.

ouault: Composition pour «Cirque de l'Etoile Filante» - 1934.

portun de rappeler la formule de Cosme de Médicis rapportée par Politien: *Ogni pintore dipigne di se*. Rouault en a fait sa pratique habituelle, quitte parfois à se reconnaître *après coup* dans ses figures. Malade, la face déformée par des abcès, il écrit à André Suarès: *J'avais pris la tête de mes affreux grotesques*. Le visage de l'artiste est habité par les virtualités diverses de la dérision et du monstrueux; il est le foyer d'une âme qui cherche sa délivrance à travers les chairs et les rôles qui la retiennent prisonnière.

La lutte de l'âme contre les tourments de son incarnation trouve son expression dernière dans la face du Christ. L'holocauste du clown tragique — victime innocente — offre une réplique à peine parodique de la Passion. Le clown, qui est *celui qui reçoit les gifles*, devient ainsi le double emblématique du Christ aux outrages. De même que l'autoportrait se laisse interpréter selon le type préexistant du clown, il peut également se laisser attirer par le modèle de la Sainte Face. Un circuit de significations s'établit, où, tandis que le clown reçoit le nimbe de la sainteté, le Christ prend la joue blafarde du clown. L'on affirmera sans paradoxe que la religion de Rouault n'est pas moins évidente dans ses images de cirque que dans les scènes inspirées par l'histoire sainte.

Les valeurs s'échangent : la Passion selon Rouault se déroule sur un fond de misère faubourienne, tandis que ses scènes de cirque paraissent avoir pour arène les hauteurs du Golgotha. Or si le clown tragique revêt ainsi le rôle de la victime rédemptrice, ne rejoignons-nous pas l'une des significations les plus anciennes du clown et du fou ? Evoquant certaines fêtes celtiques d'origine païenne, Enid Welsford rappelle que le *folk-fool* est fréquemment *tué* et que la figure centrale des rites de bouc émissaire — qu'il s'agisse d'un homme vivant ou d'une effigie — est souvent qualifiée de fou. Quel est ce clown ou ce fou par excellence ? *Est-il, comme l'indiqueraient son masque et son visage noir, sa queue de renard, son vêtement fait d'une peau de veau, un descendant d'une ancienne victime sacrificielle ?... L'attitude détachée du fou peut être due au fait qu'il représente le bouc émissaire excommunié*. Nous assisterions donc, dans l'œuvre de Rouault, à la resurgence christianisée d'une composante sacrificielle et salvatrice, présente initialement dans la figure du clown. Ce vestige païen, qui subsistait inconsciemment et comme innocemment dans la tradition populaire, retrouve maintenant l'une de ses significations originelles, mais dans la lumière d'un christianisme véhément et doloriste.

Ce thème a connu sa transcription ironique et déformée dans la vie et l'œuvre de Max Jacob, pour qui la clownerie fut tout ensemble grimace d'humiliation et variante parodique de l'Imitation de Jésus-Christ. L'on sait que *Les Pénitents en maillots roses* auraient pu s'appeler aussi *Le Clown à l'autel*. Plus près de nous, c'est chez Henry Miller, dans *Le Sourire au pied de l'échelle,* que le climat de l'œuvre picturale de Rouault revivra,

Photographie de Max Jacob - avant 1937.

«Le Cirque» de Charlie Chaplin - 1928.

avec une rutilance naïve, sous l'aspect d'une vocation de salut et de mort assumée par un clown pathétique: *Le clown, c'est le poète en action. Il* est *l'histoire qu'il joue. Et c'est toujours la même sempiternelle histoire: adoration, oblation, crucifixion. «Crucifixion en rose», bien entendu.*

Du point où nous sommes parvenus, jetons un coup d'œil rétrospectif sur la tradition littéraire des bouffons et des clowns: nous aurons la surprise de découvrir que, pour des raisons tout intuitives, les grands auteurs dramatiques ont fréquemment fait du clown ou du bouffon l'agent d'un salut, le bon génie qui, malgré sa maladresse et ses sarcasmes, pousse à la roue du destin et contribue au retour de l'harmonie dans un monde que le maléfice avait perturbé. Cette fonction de sauveur ou de sauveteur n'est certes pas constamment liée au sacrifice du clown, si ce n'est que le clown est toujours et partout un exclu, et que, devenant un intrus, il gagne un droit à l'omniprésence. Par la licence qu'il s'arroge ou qu'on lui concède, le clown apparaît comme un trouble-fête; mais l'élément de désordre qu'il introduit dans le monde est la médication correctrice dont le monde malade a besoin pour retrouver son ordre vrai. Qu'il soit simplet ou malicieux, ou qu'il allie paradoxalement ces deux qualités, le clown se pose en contradicteur et sa nature lui permet de devenir l'instrument d'un renversement: il suffit ici de rappeler *La Nuit des rois* et le *Conte d'hiver*. L'on mentionnerait encore tout l'univers des contes populaires, où la fonction clownesque revient à des personnages surnaturels (*Le Chat Botté*); mais la veine de cette tradition intuitive n'est pas tarie. Charlie Chaplin, dans la plupart de ses grands films, apparaît à point nommé pour sauver une jeune fille ou un enfant, tout en ne cessant de subir lui-même les pires avanies: son inépuisable popularité est peut-être due à la façon magistrale dont il a réincarné l'archétype du sauveur sacrifié. Il répond ainsi à une attente psychique immémoriale, qui a persisté dans la conscience de l'homme moderne. On en dirait autant des frères Marx, qui interviennent si souvent, dans une histoire d'amour contrarié, à la façon dont les gnomes (ou les clowns) survenaient dans les récits légendaires: apparemment ils brouillent tout, ils sèment partout la confusion; et partout, au bout du compte, leurs maladresses auront été providentielles, obéissant à une logique féerique qui déjoue toutes les prévisions raisonnables: ils sont les auxiliaires de la vie et de l'amour menacés.

Danseuse acrobatique - ostracon égyptien - 1450 av. J.C.

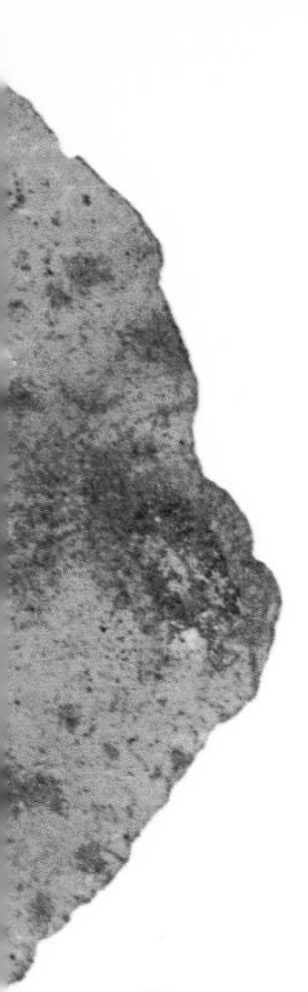

Passeurs et trépassés

FAUT-IL s'étonner que la libre élaboration littéraire et picturale de l'image du clown ait abouti à mettre en évidence des valeurs primitives, des fonctions archaïques? Il n'est pas impossible que la rêverie prolongée sur un thème privilégié conduise à favoriser et à faciliter ce que les psychanalystes nommeraient *le retour du refoulé*... N'oublions pas non plus que le début du XXe siècle est le moment où l'homme civilisé commence à se tourner, non plus seulement vers l'*idée* de la nature et de l'origine (ce qui avait été le cas dès la seconde moitié du XVIIIe siècle), mais vers les images et les documents concrets de l'humanité primitive. Le progrès de l'art s'effectue, en de nombreux domaines, par le détour d'une *recollection* des formes du passé immémorial : l'on redécouvre toutes les périodes archaïques, l'on met en valeur l'art africain et les peintures préhistoriques ; l'on s'ingénie à mimer les gestes premiers et les mythes fondamentaux. C'est ainsi que la culture la plus *avancée*, qui se croit exténuée, cherche une source d'énergie dans la primitivité. L'on imagine un passé qui, loin d'être révolu, ne demanderait qu'à resurgir en nous, à la condition que nous apprenions à le percevoir et à en reconnaître le prix. La tendance archaïsante s'est transmuée ainsi en un appel aux profondeurs de l'inconscient : le rêve nous livre un fragment du monde primitif. Or le monde du cirque et de la fête foraine est comme un rêve éveillé : il nous offre, en pleine lumière, l'évidence de l'impossible. Gautier l'avait pressenti, mais sans s'avancer beaucoup au-delà du plaisir visuel du spectacle ; Banville avait, sans en développer toutes les conséquences, écrit sur le mime acrobate ces phrases surprenantes : *Entre l'adjectif* possible *et l'adjectif* impossible, *le mime a fait son choix ; il a choisi l'adjectif impossible. C'est dans l'impossible qu'il habite ;*

ce qui est impossible, c'est ce qu'il fait. Les peintres et les écrivains du début du XXe siècle iront à la source : ils exploreront activement l'impossible...

C'est un singulier spectacle que de voir la série des *Saltimbanques* de l'époque bleue de Picasso sortir peu à peu de l'atmosphère de lassitude et de morne résignation où le peintre les avait d'abord confinés, pour entrer, sinon dans la joie solaire, du moins dans une sorte de grave et mystérieuse sérénité. Visiblement Picasso a d'abord été tenté par l'image picturale et littéraire du clown-victime. L'ombre du Vieux Saltimbanque baudelairien a passé d'abord sur sa peinture, et les Pierrots lunaires du symbolisme ont sans doute peuplé un moment son imagination. Mais Picasso avait autre chose à dire. Et ce qu'il avait à dire suscitera de singuliers échos dans la parole des écrivains.

Dans un article de 1905, Apollinaire esquisse une transcription poétique des *Saltimbanques* que Picasso venait d'exposer. L'écrivain s'abandonne à l'une de ces rêveries hasardeuses dont il est préférable que les critiques *sérieux* s'abstien-

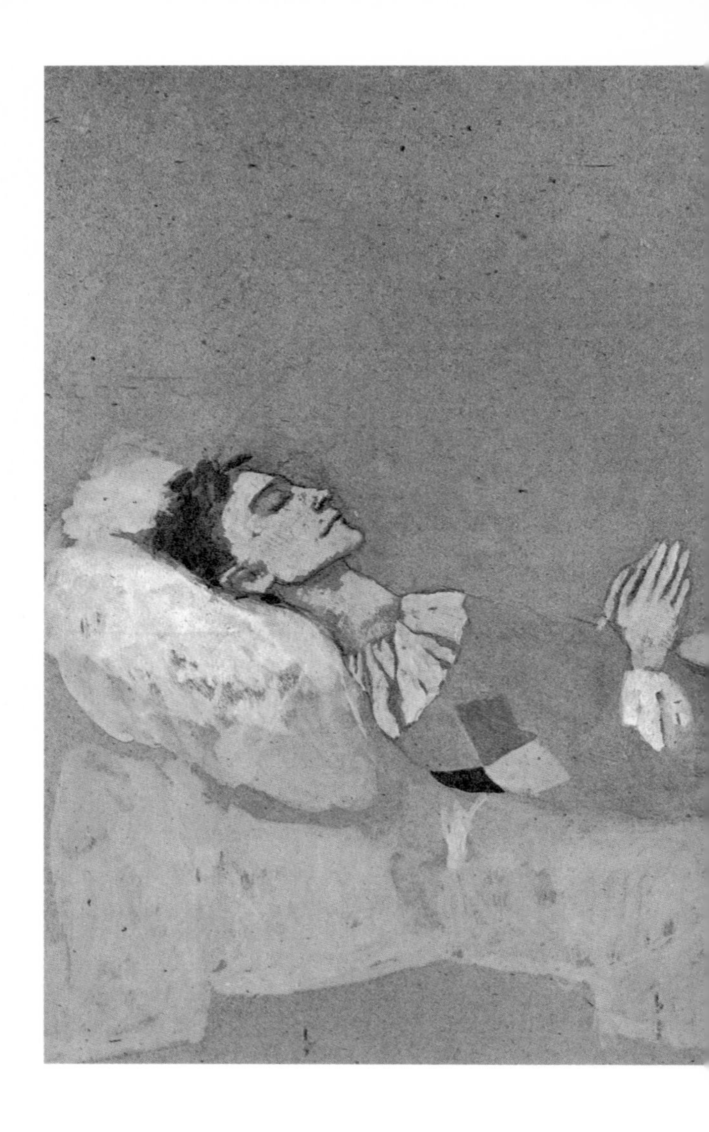

Picasso: La mort d'Arlequin - 1905.

nent, mais qui, dans le cas particulier, contribue merveilleusement à définir un univers mythique: même s'il est vraisemblable que Picasso n'a pas voulu exprimer tout ce qu'Apollinaire a déchiffré dans sa peinture, cette interprétation nous propose l'un des prolongements de cette peinture, l'un des sens multiples dont l'œuvre picturale accepte de s'environner: *Les mères, primipares, n'attendaient plus l'enfant, peut-être à cause de certains corbeaux jaseurs et de mauvais présage. Noël! Elles enfantèrent de futurs acrobates parmi les singes familiers, les chevaux blancs et les chiens comme les ours.*

Les sœurs adolescentes, foulant en équilibre les grosses boules des saltimbanques, commandent à ces sphères le mouvement rayonnant des mondes. Ces adolescentes ont, impubères, les inquiétudes de l'innocence, les animaux leur apprennent le mystère religieux. Des arlequins accompagnent la gloire des femmes, ils leurs ressemblent, ni mâles ni femelles... Des bêtes hybrides ont la conscience des demi-dieux de l'Egypte... On ne peut pas confondre ces saltimbanques avec des histrions. Leur spectateur doit être pieux, car ils célèbrent des rites muets avec une agilité difficile...

Ici à nouveau, les tréteaux sont transformés en un lieu de culte. Mais au paysage chrétien de

Picasso: Acrobate à la boule - 1905.

Rouault succède une scène ésotérique, où, selon un syncrétisme d'allure *alexandrine,* se mêlent les mystères de plusieurs traditions religieuses : fécondités miraculeuses, hermaphrodites, silence sacramentel, nativités... L'interprétation du poète, surajoutée à la composition imaginative du peintre, transforme le spectacle des tréteaux en une cérémonie gnostique. Le jeu n'est pas gratuit : il est rite, dévoilement d'une sagesse secrète. L'*agilité difficile* qu'Apollinaire associe à des *rites muets* nous rappelle que l'acrobatie antique était liée souvent aux cérémonies funéraires : le bond de l'acrobate, l'adresse du contorsionniste ayant pour fonction de conjurer la mort en mimant le surgissement irrépressible de la vie. La transmutation affecte significativement les animaux eux-mêmes : selon un orphisme inverse, ils sont devenus les initiateurs des hommes. La vie inférieure devient la voie d'accès d'un savoir supérieur. Un court-circuit réunit l'animalité à la souveraineté. Nous sommes sur un seuil initiatique : les saltimbanques connaissent le mot de passe qui conduit vers le monde surhumain de la divinité, et vers le monde infrahumain de la vie animale.

Dans un des poèmes d'*Alcools* inspirés par les saltimbanques de Picasso et par la peinture de

Marie Laurencin (*Crépuscule*), Apollinaire dresse la troupe foraine dans un lieu vague, entre vie et mort, entre jour et nuit, entre le mensonge et la vérité, entre terre et ciel : à la fin du poème, l'*Arlequin trismégiste* grandit sous le regard triste d'un nain. Nous sommes, encore une fois, sur un seuil redoutable, mais où les contraires tendent à se concilier. Au premier vers du *Crépuscule* passent les *ombres des morts*, tandis que dans la dernière strophe apparaît un *bel enfant* [1]. Nous pressentons que le pouvoir surnaturel de croissance attribué à l'arlequin lui vient de sa familiarité avec le règne de la mort. L'épithète de *trismégiste* qui lui est accolée lui confère une identité allusive avec Hermès, le dieu qui franchit les portes de l'autre monde et qui conduit les âmes dans les royaumes souterrains. C'est aussi le dieu des secrets alchimiques, que la gnose a apparenté au Thot à face simiesque des Egyptiens. Décrochant une étoile, rapprochant ciel et terre, Arlequin réunit surnaturellement ce qui est naturellement séparé. Un retour magique à l'unité cosmique nous est annoncé…

[1] Le petit saltimbanque — *enfant miraculeux* — apparaîtra une fois de plus *à la fin* d'un poème d'Apollinaire, dans *Un fantôme de nuées.*

Dans le syncrétisme mythique qui se développe ici, de singulières analogies justifient le rapprochement qu'Apollinaire fait intervenir entre Hermès et Arlequin. Hermès n'est pas seulement un conducteur d'âmes, un détenteur de secrets, il n'est pas seulement le patron emblématique de l'agilité *mercurielle*, c'est aussi un *dieu fripon*, un renverseur d'interdits ; l'on en vient aisément à croire que son rôle de *passeur* providentiel ne fait qu'un avec ses audaces de *transgresseur* : dans les deux cas, il franchit les bornes sacrées qui délimitent des régions soumises à des lois contraires, et qu'il n'est pas permis aux mortels d'outrepasser impunément. Or l'on sait qu'aux origines, selon les premiers documents médiévaux qui nous parlent de lui, Arlequin (sous le nom d'Hellekin) est un démon à face animale, qui conduit dans les nuits d'hiver, au fond des forêts, sa *mesnie* hurlante de *trépassés*. Figure qui n'est nullement celle d'un sauveur, mais au contraire celle d'une créature diabolique. Seulement, au cours des siècles, la représentation théâtrale, la parodie conjureront son maléfice : de ce démon qui a traversé les limites de l'enfer pour venir nous hanter, on fera une figure comique, dont le caractère essentiel de transgression se reportera sur les *tabous* de

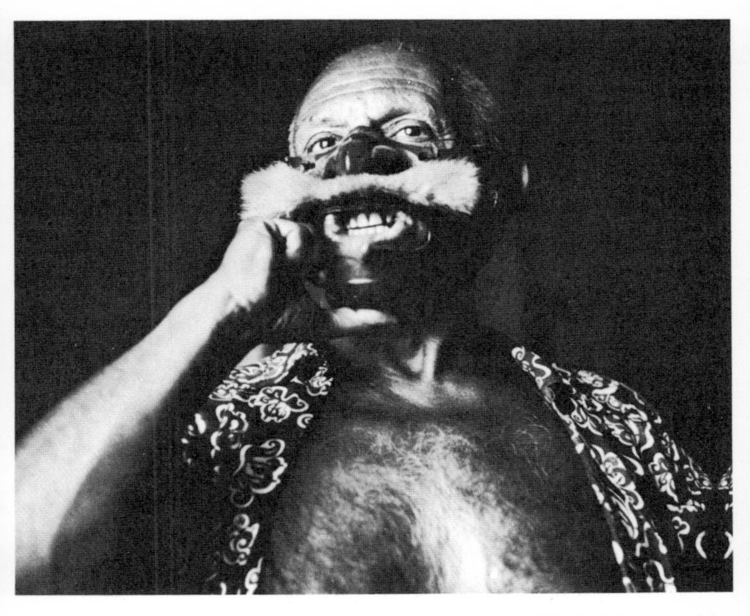

Robert Capa: Photographie de Picasso - 1951.

l'ordre social et de la discipline des mœurs. Cette transformation substitue la dérision à l'horreur, livre l'image du démon au caprice de l'acteur masqué, et décompose en bavardage cocasse ce qui fut hurlement inhumain. L'effroi se convertit en rire; les terreurs primitives se perdent dans la farce profane: les grimaces obscènes et grotesques opèrent un exorcisme qui transforme les forces de mort en puissance de fécondité. Donner un nom à l'horreur sans nom, en faire un objet de représentation, c'est transformer ce qui nous dépasse en ce que nous dominons, c'est donner à l'indicible une figure définie, dont bientôt le langage se jouera en toute liberté. La virtuosité loquace, le bondissement dansant, tout en figurant une possession de l'acteur par la puissance surnaturelle qui l'investit, est simultanément une opération de maîtrise. Devenu dans les «mistères» un bon diable, un drôle de diable, Hellekin a longtemps encore laissé entendre qu'il était le substitut parodique d'un contradicteur autrement plus redoutable. Le masque hirsute d'*homo silvestris* qu'il a conservé jusqu'au XVIIIe siècle (où l'amour l'a enfin poli) en fait foi. Quand Goethe, dans le prologue de *Faust,* présente Méphistophélès sous les dehors de la *lustige Person,* il rend manifeste cette domination joueuse du langage poétique, qui nous permet de transformer l'ombre menaçante du démon en un personnage disert, mais qui transporte l'agressivité du néant dans le tréfonds de notre rire.

Les clowns et les Arlequins de Picasso (comme ceux d'Apollinaire) n'ont pas perdu ce lien originel avec le royaume de la mort. Si leurs visages se sont dépouillés de toute animalité, le singe, le chien, la biche, le cheval restent tout proches : ils figurent l'un des prolongements du monde des saltimbanques, une amitié complice. Tels dessins de Picasso, bien avant que l'artiste ait expressément choisi de représenter le minotaure ou le centaure, figurent l'étrange symbiose du saltimbanque et de la bête. Rilke, chantant dans la cinquième *Elégie* de Duino les saltimbanques de Picasso, ne manque pas de comparer l'exercice des jeunes acrobates, encore malhabiles, aux bonds des jeunes «animaux qui se couvrent et sont mal accouplés». Ce qui, de plus, me frappe dans la réflexion lyrique de Rilke, c'est que (malgré la différence la plus complète dans le système des images), le monde des saltimbanques y est, comme chez Apollinaire, un monde symboliquement posé entre ciel et terre, entre vie et mort, plus près de la mort que de la vie, et où tout s'ordonne autour du secret d'un *passage*. Seulement ce passage ne conduit pas à une véritable délivrance. Ce n'est encore que le passage de la gaucherie à l'adresse, de l'exercice imparfait à la pyramide admirable: symbole d'un passage à l'œuvre et à la réussite de l'art, qui n'est toutefois que l'anticipation allégorique, annonciatrice, mais insuffisante, d'un autre passage, lequel assurerait, au sein de la mort, l'accomplissement vrai de l'amour.

Oh! où donc est l'endroit, — je le porte dans le cœur —
où ils étaient bien loin de ce pouvoir*, et se détachaient encore*
l'un de l'autre, semblables à des animaux qui se couvrent
et sont mal accouplés; —
où les poids pèsent encore;
où des vains tourbillons de leurs bâtons
les assiettes encore
tombent en tournoyant...

Et soudain, dans ce pénible «nulle part», soudain
la place indicible, où l'insuffisance pure
incompréhensiblement se transforme et bondit
en cette surabondance vide.
Où le compte aux postes nombreux
s'achève en l'absence de tout chiffre.
...

Ange, il y aurait une place, que nous ne connaissons pas, et là,
sur un tapis indicible, les amants qui jamais, ici,
ne parviennent à les réaliser, montreraient leurs grandes
figures hardies de l'élan du cœur,
leurs tours faites de joie, leurs échelles qui, depuis longtemps,
là où le sol toujours manqua, n'étaient qu'appuyées
l'une à l'autre, tremblantes, — et ils le pourraient*,*
entourés de spectateurs, d'innombrables morts silencieux:

Picasso : La famille du saltimbanque - 1954.

ux-ci jetteraient-ils alors leurs dernières pièces, toujours épargnées,
ujours cachées, que nous ne connaissons pas, éternellement
ables, les effigies du bonheur, devant le couple enfin
riant, d'un sourire vrai, sur le tapis apaisé? [1]

ous suivons ici la traduction de J. F. Angelloz.

On le voit, le passage de la maladresse à l'agilité acrobatique pour Rilke n'est que la transition qui mène d'une *insuffisance pure* à une *surabondance vide*. L'exploit acrobatique n'est encore qu'un pouvoir sans substance : la merveilleuse conquête reste un triomphe dérisoire.

Telle est, chez Picasso, la singulière constance de certaines *constellations thématiques*, qui sont peut-être autant de projections mythiques de la personnalité du peintre : entre l'image du dieu et celle de l'animal, l'artiste refuse souvent d'opter : il forge des animaux divins, ou des dieux animalisés. Mais face à l'animal, il est aussi l'agile dompteur, le torero meurtrier, le saltimbanque qui joue avec la mort ; et face à l'abandon féminin du « modèle », l'artiste se transforme tantôt en Jupiter, tantôt en clown. Au temps de *Parade*, Picasso a participé aux scandales de société qu'organisait Jean Cocteau, selon l'esprit un peu léger d'un orphisme de music-hall qui proposait le trapèze comme le plus court chemin vers le paradis. Dans toutes les recherches et les métamorphoses dont témoigne l'art de Picasso, nous ne cessons de retrouver la hantise des *passages* : échanges entre la conscience divine et l'instinct sombre de l'animal, passage d'une « manière » à l'autre, c'est-à-dire passage d'un *non-pouvoir* à un nouveau *pouvoir* dont la « surabondance vide » inquiétera l'artiste et l'incitera à guetter de nouvelles trouvailles. Tout, dans l'œuvre de Picasso, évoque la circulation mystérieuse entre les divers niveaux de l'existence, la traversée de seuils interdits, le franchissement des limites, le contact établi entre les contraires : les apanages revendiqués par le peintre sont exactement ceux que nous avons vus se rassembler progressivement dans la personne du clown.

Ainsi le clown aura grandi sous nos yeux comme l'Arlequin du poème d'Apollinaire. Il aura conquis des significations multiples, toujours plus riches et plus troublantes.

Mais ces significations ne sont-elles pas contradictoires ? Ne s'excluent-elles pas l'une l'autre ? Certes. Le clown balourd ne ressemble en rien au pitre agile. L'Auguste n'est pas Arlequin. Le clown-victime (simulacre du Christ) ne paraît rien avoir en commun avec l'Arlequin transgresseur (succédané du diable). Mais, en s'identifiant tantôt avec l'un, tantôt avec l'autre, l'artiste nous indique une ressemblance possible, dans la mesure même où angélisme et satanisme se ressemblent : ce sont les directions inverses et complémentaires que prend le désir de dépasser le monde, ou plus exactement d'introduire dans le monde le témoignage d'une passion *venue d'ailleurs* ou *visant un ailleurs*... Sous l'aspect de la victime expiatoire, le clown est expulsé du monde, il emporte nos péchés et notre honte, il passe dans la mort ; par son passage, il nous fait passer à notre tour dans le salut. Sous l'aspect du démon transgresseur, il surgit parmi nous comme un intrus, venu des ténèbres extérieures : il est peut-être celui qui avait été expulsé au commencement, la menace qui ne supporte pas longtemps d'être oubliée et d'être refoulée au-dehors : or dans la mesure où nous parvenons à incarner *dans le jeu* ce bond de la puissance sombre qui revient en nous, la « vieille calamité » s'allège, se mue en un élan vital et se libère dans la pure dépense du rire. Ceci n'empêche pas que la figure diabolique ne redevienne menaçante et n'apparaisse capable d'entraîner les faibles à la perdition : le Diable grotesque de l'*Histoire du Soldat* a tout pouvoir sur le soldat devenu prince, sitôt que celui-ci aura commis la folie de *franchir* les limites de son royaume...

Si le clown est bien celui qui vient d'ailleurs, le maître d'un mystérieux passage, le contrebandier qui franchit les frontières interdites, nous comprenons pourquoi, au cirque, sur la scène,

Klee: «Narr der Tiefe» - 1927.

une importance si considérable fut attachée de tout temps à son *entrée*. Ce n'est pas seulement, comme on l'eût cru paresseusement, un problème de technique du comédien. Ce problème technique — dont dépend l'autorité avec laquelle l'acteur s'impose dès les premiers instants à son public — n'est que l'envers rationalisé d'une exigence autrement plus impérieuse. Tout vrai clown surgit d'un autre espace, d'un autre univers : son entrée doit figurer un franchissement des limites du réel, et, même dans la plus grande jovialité, il doit nous apparaître comme un *revenant*. La porte par laquelle il pénètre dans l'arène n'est pas moins fatidique que la porte d'ivoire dont parle Virgile, que traversaient, venant des Enfers, les rêves trompeurs. Son apparition a pour fond un abîme béant d'où elle se projette vers nous. L'entrée du clown doit nous rendre sensible ce *pénible nulle part* évoqué par Rilke, qui est le lieu de son départ, et qu'il a désormais derrière lui. Pour l'acrobate, il n'en va guère différemment : le *pénible nulle part* est sous son talon, et le passage s'effectue sous nos yeux, au moment du bond, du saut périlleux, de l'obstacle surmonté. Je serais enclin à reconnaître une valeur symbolique analogue dans les cercles de papier que traversent les voltigeurs et les animaux dressés : une limite apparente est victorieusement outrepassée, une frontière a été franchie avec une miraculeuse facilité. L'acrobate vainqueur émerge au-delà, dans une nouvelle région de l'être.

Klee: Pierrot prisonnier - 1923.

On pourrait multiplier les interprétations symboliques : l'arène circulaire n'est-elle pas une figure du monde? Et pour reprendre tout ensemble une suggestion de Banville et de Rilke, les spectateurs qui forment la vaste «rose de la contemplation» ne ressemblent-ils pas à cette rose céleste qui est l'une des dernières visions du Paradis dantesque? Mais il faut se garder d'une pareille surcharge allégorique : ce serait assigner au clown, aux saltimbanques, au monde du cirque une signification définie, une fonction

Dubuffet : Trois personnages - 1961.

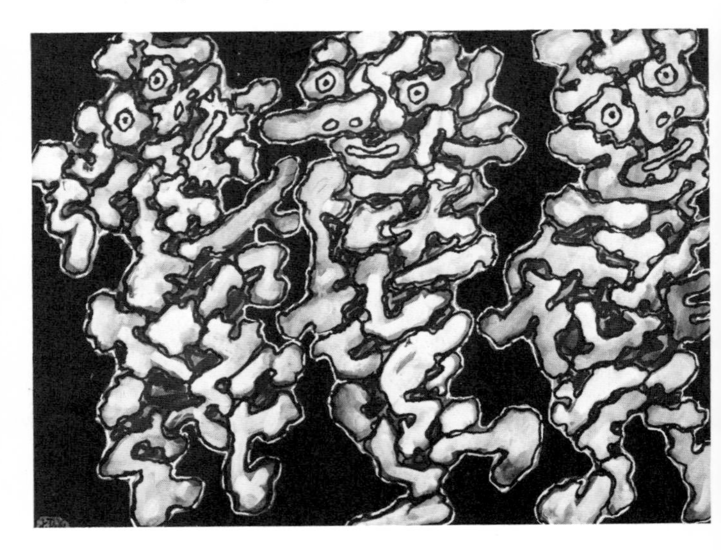

stable. Or, pour qu'ils puissent vivre, ils doivent d'abord jouir d'une liberté plénière. Qu'on ne se hâte donc pas de leur assigner un rôle, une fonction, un sens ; il faut leur accorder la licence de n'être rien de plus qu'un jeu insensé. La gratuité, l'absence de signification est, si je puis dire, leur air natal. C'est seulement au prix de cette *vacance,* de ce *vide* premier qu'ils peuvent *passer* à la signification que nous leur avons découverte. Ils ont besoin d'une immense réserve de non-sens pour pouvoir passer au sens. Dans un monde utilitaire, parcouru par le réseau serré des relations signifiantes, dans un univers pratique où tout s'est vu assigner une fonction, une valeur d'usage ou d'échange, l'entrée du clown fait craquer quelques mailles du réseau, et, dans la plénitude étouffante des significations acceptées, il ouvre une brèche par où pourra courir un vent d'inquiétude et de vie. Le non-sens dont le clown est porteur prend alors, en un second temps, valeur de mise en question ; c'est un défi porté au sérieux de nos certitudes. Cette bouffée de gratuité oblige à reconsidérer tout ce qui passait pour nécessaire. Ainsi, parce qu'il est d'abord absence de signification, le clown accède à la très haute signification de contradicteur : il nie tous les systèmes d'affirmation préexistants,

Mardi gras, photographie de Lyle Bongé.

il introduit, dans la cohérence massive de l'ordre établi, le vide grâce auquel le spectateur, enfin séparé de lui-même, peut rire de sa propre lourdeur. La pure absurdité accepte de devenir une figure multivalente: figure de l'intrus qui s'impose ou qu'on expulse; de la victime expiatoire ou du démon moqueur; du bond optimiste dans la hauteur ou de la chute dans l'abîme. Une chaîne d'échos se propage dont le cirque ne suffit plus à contenir les développements. Car la fonction du clown, telle que je viens de la décrire, présuppose l'existence d'une société organiquement structurée à laquelle il est possible d'apporter la contradiction, sous une forme et un déguisement institutionnels. Quand l'ordre social se dissout, la présence du clown s'atténue sur la scène ou sur la toile; mais le clown descend alors dans la rue: c'est chacun de nous. Il n'y a plus de limites, donc plus de franchissement.

Subsiste la dérision.

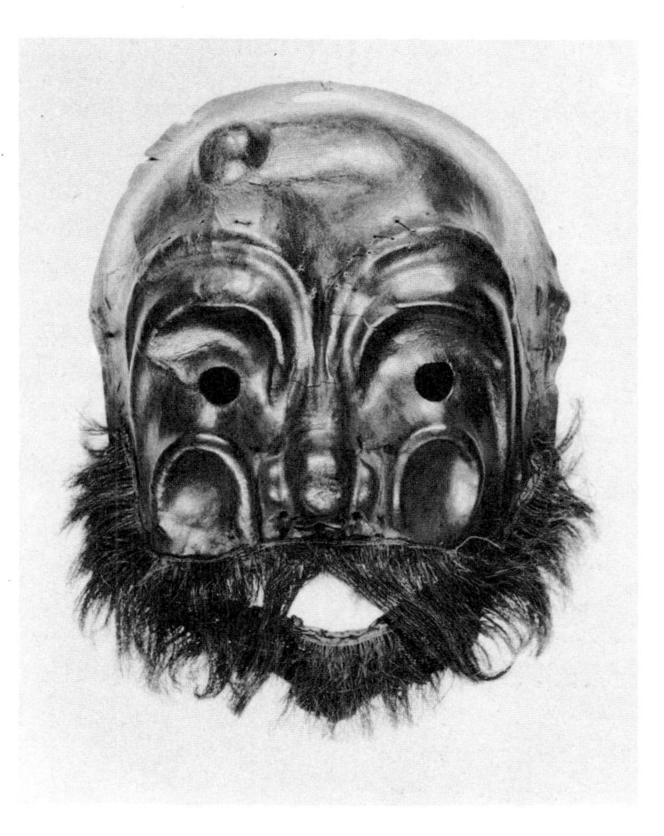

Masque de cuir d'un Zanni - XVIIe siècle.

Note

Le présent ouvrage est consacré principalement à des images. L'aspect littéraire du thème n'est pas moins important. Notamment en ce qui touche aux rapports entre bouffonnerie et mélancolie. Je me bornerai à indiquer ceux de mes travaux qui peuvent être considérés comme un complément de ce volume: «Note sur le bouffon romantique», *Les Cahiers du Sud*, Marseille, 1967, 53e année, N° 387-388, p. 270-275; «Sur quelques répondants allégoriques du poète» (à propos de Baudelaire), *Revue d'histoire littéraire de la France*, avril-juin 1967, p. 402-412; «Ironie et mélancolie: Gozzi, Hoffmann, Kierkegaard», *Critique*, Paris, avril 1966, p. 291-308; «Bandello et Baudelaire (le prince et son bouffon)», *Le Mythe d'Etiemble. Hommage, études et recherches*. Paris, Didier, 1979, p. 251-259.

Jean Starobinski

TABLE DES ILLUSTRATIONS

ACHEVÉ D'IMPRIMER
LE 31 AOÛT 1983
SUR LES PRESSES
IRL IMPRIMERIES RÉUNIES LAUSANNE S.A.

PRINTED IN SWITZERLAND

DÉJÀ PARUS

ABELLIO Raymond
▲▲▲ **Assomption de l'Europe.**
ADOUT Jacques
▲▲▲ **Les raisons de la folie.**
ALQUIÉ Ferdinand
▲ **Philosophie du surréalisme.**
ARAGON Louis
▲▲▲ **Je n'ai jamais appris à écrire ou les** ***Incipit.***
ARNAUD Antoine, NICOLE Pierre
▲▲▲ **La logique ou l'art de penser.**
AXLINE Dr Virginia
▲▲ **Dibs.**
BADINTER Elisabeth
▲▲▲ **L'amour en plus.**
BARRACLOUGH Geoffrey
▲▲▲▲ **Tendances actuelles de l'histoire.**
BARTHES Roland
▲▲▲ **L'empire des signes.**
BASTIDE Roger
▲▲▲ **Sociologie des maladies mentales.**
BECCARIA Cesare
▲▲ **Des délits et des peines.** Préf. de Casamayor.
BIARDEAU Madeleine
▲▲ **L'hindouisme. Anthropologie d'une civilisation.**
BINET Alfred
▲▲ **Les idées modernes sur les enfants.** Préf. de Jean Piaget.
BOIS Paul
▲▲▲ **Paysans de l'Ouest.**
BONNEFOY Yves
▲▲▲▲ **L'Arrière-pays.**
BRAUDEL Fernand
▲▲▲ **Écrits sur l'histoire.**
BRILLAT-SAVARIN
▲▲▲▲ **Physiologie du goût.**
BROUÉ Pierre
▲ **La révolution espagnole (1931-1939).**
BURGUIÈRE André
▲▲▲ **Bretons de Plozévet.** Préf. de Robert Gessain.
BUTOR Michel
▲▲▲ **Les mots dans la peinture.**
CAILLOIS Roger
▲▲▲ **L'écriture des pierres.**
CARRÈRE D'ENCAUSSE Hélène
▲▲▲ **Lénine, la révolution et le pouvoir.**
▲▲▲ **Staline, l'ordre par la terreur.**
CASTEL Robert
▲▲▲ **Le psychanalysme.**
CHAR René
▲▲▲▲ **La nuit talismanique.**
CHASTEL André
▲▲▲ **Éditoriaux de la Revue de l'art.**
CHAUNU Pierre
▲▲▲▲ **La civilisation de l'Europe des Lumières.**
CHEVÈNEMENT Jean-Pierre
▲▲▲ **Le vieux, la crise, le neuf.**
CHOMSKY Noam
▲▲▲ **Réflexions sur le langage.**
CLAVEL Maurice
▲▲▲ **Qui est aliéné?**
COHEN Jean
▲▲ **Structure du langage poétique.**
CONDOMINAS Georges
▲▲▲▲ **Nous avons mangé la forêt.**
CORBIN Alain
▲▲▲▲ **Les filles de noce.**
DAVY Marie-Madeleine
▲▲▲ **Initiation à la symbolique romane.**
DERRIDA Jacques
▲ **Éperons. Les styles de Nietzsche.**
▲▲▲ **La vérité en peinture.**
DETIENNE Marcel et VERNANT Jean-Pierre
▲▲ **Les ruses de l'intelligence. La métis des Grecs.**
DODDS E.R.
▲▲▲ **Les Grecs et l'irrationnel.**
DUBY Georges
L'économie rurale et la vie des campagnes dans l'Occident médiéval.
▲▲ Tome I.
▲▲ Tome II.
▲ **Saint-Bernard. L'art cistercien.**
EINSTEIN Albert et INFELD Léopold
▲▲▲ **L'évolution des idées en physique.**
ÉLIADE Mircéa
▲▲ **Forgerons et alchimistes.**
ERIKSON E.
▲▲▲ **Adolescence et crise.**

ESCARPIT Robert
▲▲ **Le littéraire et le social.**
▲▲ **Les états généraux de la philosophie.**
FABRA Paul
▲▲▲ **L'anticapitalisme.**
FERRO Marc
▲ **La révolution russe de 1917.**
FINLEY Moses
▲ **Les premiers temps de la Grèce.**
FONTANIER Pierre
▲▲▲▲ **Les figures du discours.**
GENTIS Roger
▲▲ **Leçons du corps.**
GERNET Louis
▲▲▲ **Anthropologie de la Grèce antique.**
▲▲▲ **Droit et institutions en Grèce antique.**
GONCOURT E. et J. (de)
▲▲▲▲ **La femme au XVIIIe siècle.** Préface d'E. Badinter.
GOUBERT Pierre
▲▲▲ **100 000 provinciaux au XVIIe siècle.**
GREPH (Groupe de recherches sur l'enseignement philosophique)
▲▲ **Qui a peur de la philosophie?**
GRIMAL Pierre
▲▲▲▲ **La civilisation romaine.**
GUILLAUME Paul
▲▲ **La psychologie de la forme.**
GURVITCH Georges
▲▲ **Dialectique et sociologie.**
HEGEL G.W.F.
▲▲▲ **Esthétique.** Tome I.
Introduction à l'esthétique.
▲▲▲ **Esthétique.** Tome II.
L'art symbolique. L'art classique. L'art romantique.
▲▲▲ **Esthétique.** Tome III.
L'architecture; la sculpture; la peinture; la musique.
▲▲▲ **Esthétique.** Tome IV.
La poésie.
JAKOBSON Roman
▲ **Langage enfantin et aphasie.**
JANKÉLÉVITCH Vladimir
▲▲▲ **La mort.**
▲▲ **Le pur et l'impur.**
▲ **L'ironie.**
▲▲▲▲ **L'irréversible et la nostalgie.**
JANOV Arthur
▲▲▲ **L'amour et l'enfant.**
▲▲▲ **Le cri primal.**

KRIEGEL Annie
▲▲▲ **Aux origines du communisme français.**
KROPOTKINE Pierre
▲▲ **Paroles d'un révolté.**
KUHN Thomas S.
▲▲▲▲ **La structure des révolutions scientifiques.**
LABORIT Henri
▲▲ **L'homme et la ville.**
LAPLANCHE Jean
▲▲ **Vie et mort en psychanalyse.**
LAPOUGE Gilles
▲▲ **Utopie et civilisations.**
LE GOFF Jacques
▲▲▲ **La civilisation de l'Occident médiéval.**
LEPRINCE-RINGUET Louis
▲ **Science et bonheur des hommes.**
LE ROY LADURIE Emmanuel
▲▲▲ **Les paysans de Languedoc.**
Histoire du climat depuis l'an mil.
▲▲▲▲ Tome I.
▲▲▲▲ Tome II.
LOMBARD Maurice
▲▲▲ **L'Islam dans sa première grandeur.**
LORENZ Konrad
▲▲ **L'agression.**
MANDEL Ernest
▲▲▲ **La crise 1974-1982.**
MARIE Jean-Jacques
▲ **Le trotskysme.**
MICHELET Jules
▲ **Le peuple.**
▲▲▲▲ **La femme.**
MICHELS Robert
▲▲ **Les partis politiques.**
MOSCOVICI Serge
▲▲▲ **Essai sur l'histoire humaine de la nature.**
MOULÉMAN MARLOPRÉ
▲▲▲ **Que reste-il du désert?**
NOËL Bernard
Dictionnaire de la Commune.
▲▲ Tome I.
▲▲ Tome II.
ORIEUX Jean
Voltaire
▲▲▲ Tome I.
▲▲▲ Tome II.
PAZ Octavio
▲▲▲▲ **Le singe grammairien.**

POINCARÉ Henri
▲▲ **La science et l'hypothèse.**
PORCHNEV Boris
▲▲▲ **Les soulèvements populaires en France au XVIIe siècle.**
POULET Georges
▲▲▲ **Les métamorphoses du cercle.**
RENOU Louis
▲▲ **La civilisation de l'Inde ancienne d'après les textes sanskrits.**
RICARDO David
▲▲▲ **Des principes de l'économie politique et de l'impôt.**
RICHET Denis
▲ **La France moderne. L'esprit des institutions.**
SCHWALLER DE LUBICZ R.A.
▲▲ **Le miracle égyptien.**
▲▲▲▲ **Le roi de la théocratie pharaonique.**
SCHWALLER DE LUBICZ ISHA
▲▲▲▲ **Her-Bak, disciple.**
▲▲▲▲ **Her-Bak « Pois Chiche ».**
SIMONIS Yvan
▲▲▲▲ **Claude Lévi-Strauss ou la « Passion de l'inceste ».** Introduction au structuralisme.

STAROBINSKI Jean
▲▲▲ **1789. Les emblèmes de la raison.**
▲▲▲▲ **Portrait de l'artiste en saltimbanque.**
STOETZEL Jean
▲▲▲ **La psychologie sociale.**
STOLERU Lionel
▲▲ **Vaincre la pauvreté dans les pays riches.**
SUN TZU
▲▲ **L'art de la guerre.**
TAPIÉ Victor L.
▲▲▲▲ **La France de Louis XIII et de Richelieu.**
THIS Bernard
▲▲▲▲ **Naître... et sourire**
ULLMO Jean
▲▲▲ **La pensée scientifique moderne.**
VILAR Pierre
▲▲▲ **Or et monnaie dans l'histoire 1450-1920.**
WALLON Henri
▲▲ **De l'acte à la pensée.**